工具書之用法

陳新雄著

臺灣 學生書局 印行

作者簡介

 　　陳新雄字伯元，江西省贛縣人。生於民國二十四年二月六日，現年七十。國立臺灣師範大學國文研究所博士班畢業，中華民國國家文學博士。曾任中國文化大學中國文學系教授兼主任、國立政治大學中文系所兼任教授、國立高雄師範大學國文研究所兼任教授、淡江大學中文系兼任教授、美國喬治城（Georgetown）大學中日文系客座教授、香港浸會學院中文系首席講師、香港中文大學中國文化研究所訪問學人、香港珠海大學文史研究所兼任教授、香港新亞研究所兼任教授、國立中山大學中文研究所兼任教授、北京清華大學中文系客座教授、國立臺灣師範大學國文系所教授、東吳大學中文研究所兼任教授、中國聲韻學會理事長、中國訓詁學會理事長、中國文字學會理事長、中國經學研究會理事長。現任國立臺灣師範大學國文研究所兼任教授、輔仁大學中文研究所兼任教授、中國語文雜誌編委、語言研究編委、詩經研究學會顧問、中國語文通訊顧問。擅長聲韻學、訓詁學、文字學、詩經、東坡詩、東坡詞等。著作有《春秋異文考》、《古音學發微》、《音略證補》、《六十年來之聲韻學》、《等韻述要》、《新編中原音韻概要》、《鍥不舍齋論學集》、《聲類新編》、《旅美泥爪》、《香江煙雨集》、《放眼天下》、《詩詞吟唱及賞析》、《文字聲韻論叢》、《訓詁學》、《古音研究》、《伯元倚聲‧和蘇樂府》、《伯元吟草》、《古虔文集》、《東坡詞選析》、《東坡詩選析》、《家國情懷》、《詩詞作法入門》、《聲韻學》、《廣韻研究》等二十多種。

自　序

　　民國四十四年秋余甫入臺灣師範大學國文系就讀，令我最感興趣之課程，厥為許師詩英（世瑛）所授之「讀書指導」。詩英師為不與大學一年級之「國學概論」相衝突，乃選授工具書之用法。詩英師口才流利，吐字清晰，為當日授課諸位師長中國語最標準者，娓娓道來，極為動聽，而師譬況多方，出語幽默，課堂聽者，全神貫注，十分入迷。

　　民國六十一年余接掌中國文化大學中國文學系系主任，並為諸生親自講授「讀書指導」一課，深感研究中國文學，不可不知中國歷史，不知歷史，是非無標準，忠奸難辨別。所謂「讀聖賢書，所學何事！」有歷史上大是大非之標準，才能鑒識古往今來之忠姦賢愚，始能尚友古人，作為一生行事立身之軌範。「士必先器識而後文藝。」歷史之可貴，在於教導吾人成為一位「富貴不能淫，貴賤不能移，威武不能屈」之大丈夫。而中國

文化與文學所欲薰陶培養者，即為具有此種器識之大丈夫。中國數不盡之史書中，編輯最佳之一部通史，厥為宋朝司馬光所編之《資治通鑑》。當我初入大學，所有授課之師長如林尹、潘重規、程發軔、許世瑛、唐傳基等教授，皆勉勵吾人，在大學四年中，最低限度該將《資治通鑑》讀畢，唐師傳基且語重心長說：「凡人不讀通鑑，不得為通人。」我聞教以後，也的確在大學四年之生涯中，讀畢二百九十四卷之《資治通鑑》。我讀過之後，對中國歷史的確具備深刻印象，而每讀賈誼、班固、范曄、習鑿齒、司馬光等人之史論，亦均抄錄並加模擬。以發抒一己之感想，記錄讀史之心得。

《大學》云：「知止而后有定，定而後能靜，靜而後能安，安而後能慮，慮而後能得。」此種定、靜、安、慮、得之功夫，乃從事學術研究者所必備之條件。而圈點古書最大之功效，即能使人性情安定，靜心思慮。所以我輔導諸生圈點《資治通鑑》時，要求諸生使用毛筆，正襟危坐，靜心圈點。目的即在養成安靜之心境，研讀支籍之習慣。

諸生在圈點《資治通鑑》時，遇有問題，向我求教時，我乘此機會指導諸生有系統利用工具書籍，曾應

《創新週刊》總編輯柯淑齡教授之請，為該刊撰寫十類
工具書之用法。大致仍以詩英師所講為基礎，加以擴
充。今為學生書局編寫《訓詁學》一書，其最後一章即
為工具書之用法，更增廣為十六類工具書。因為訓詁之
學，乃專門之學，一般學者，未必深究。然使用各類工
具書，乃屬文史哲學科中之共同需要，故徵得學生書局
同意，特將《訓詁學》一書中之第十二章工具書之用法
抽出，單獨刊行，以利學者之使用，書既發刊，特述其
緣起如此，是為序。

中華民國九十四年一月二十二日
夏正甲申十二月十三日
陳新雄　謹序
於臺北市和平東路鍥不舍齋

工具書之用法

目　次

第一章　檢查字義的工具書

一、康熙字典

是書以地支（就是子丑寅卯辰巳午未申酉戌亥十二支）分為十二集，每集又分上中下三部。清康熙四十年（1710）三月敕修，五十五年（1716）閏三月書成。字體悉以許慎的《說文解字》為主，參以《洪武正韻》，凡明梅膺祚的《字彙》，張自烈的《正字通》等書中，偏旁假借，點畫缺略的，都加以訂正。

我們如何利用這本工具書呢？例如：當我們讀到《論語·陽貨》篇：「好從事而亟失時，可謂知乎！」文中的「亟」字，我們不太清楚它的意義，就可查《康熙字典》。如果我們知道「亟」字所屬的部首是「二」，就可以在總目查，「二」部，知道屬於「子集上」，然後在字典「子集上二部」查亟字，亟字的筆

劃，是要把部首的筆劃除開不計的。「亟」字除掉二畫，尚餘六畫，在二部六畫下就可找到「亟」字。

> 亟　《唐韻》紀力切《集韻》《韻會》訖力切，並音棘。敏也，疾也。《說文》從人、從口、從又、從二，二、天地也。徐鍇曰：承天之時，因地之利，口謀之，手執之，時不可失，疾之意也。」《詩·大雅》「經始勿亟。」《左傳·襄二十四年》：「公孫之亟也。」《注》：「急也。言鄭公孫宛射犬性急也。」又《廣韻》《集韻》並去吏切，音唭。頻數也。《孟子》「亟問亟餽鼎肉。」又：「仲尼亟稱于水。」又：欺詐也。楊子《方言》：「東齊海岱之間曰亟。」

看過這一段文字後，就可知道「亟」字有二音，一音棘，義為敏疾，所引《說文》、《詩經》、《左傳》裏的「亟」字都應解釋為疾。一音唭，有二義：一訓頻數，所引《孟子》屬此義。那末，前說《論語·陽貨》篇的「亟」字，應該屬那一義呢？看其上下文，自然應該解作「頻數」，頻數就是常常、屢次的意思。

　　如果不知道「亟」字所屬的部首，則可按其筆劃查

檢字，亦可找到「甌」字，下面注明「子上」，就是子集上，然後到子集上去找。此書在臺灣翻印極多，啟明、世界、藝文均嘗出版，其中以藝文版《校正康熙字典》較好。

二、經籍籑詁

　　此書按詩韻分卷，共一零六卷。清阮元編，元字伯元，號芸台。江蘇儀徵人。阮氏任浙江學台時，手定體例，逐韻增收，總匯名流，分書類輯，前後歷二年之久，始克成書。王引之曾稱讚它說：「展一韻而眾字畢備，檢一字而諸訓皆存，尋一訓而原書可識，所謂握六藝之鈐鍵，廓九流之潭奧者矣。」

　　例如我們讀到《禮記·中庸》篇哀公問政章：「日省月試，既廩稱事。」的「既」字，有些難解，就可以查此書來幫助我們瞭解其意義了。如果知道「既」字屬去聲五未韻，就可在去聲五未韻下找到「既」字。

　　既　一已也。《易·小畜》「一雨一處。」虞注……○一盡也。《書·舜典》：「一月。」

傳……○一者何？盡也。《公羊桓三年傳》○一者
盡也。有繼之辭也。《穀梁桓三年傳》○盡而復生
謂之一。《穀梁桓三年傳・注》○一卒也。《儀
禮・鄉飲酒禮》：「不拜一爵。」注○一事畢。
《公羊宣元年傳》：「一而曰」注。○一而猶一畢
也。《論語・憲問》：「一而曰」皇疏。○一濟者
皆濟為義也。《易・象下傳》：「一濟」注。○一
定也。《方言六》。○一失也。《方言六》又《廣
雅・釋詁二》。○溉古一字。《史記・五帝紀》：
「溉執中而徧天下。」《集解》引徐廣。○故書一
為暨杜子春讀暨為一。《周禮・閽胥》「一此則讀
瀣。」注。○一讀為餼。《禮記・中庸》：「一廩
稱事。」注。

由此可知，「既」原為「餼」之假借字，此處當解作
「餼」。如果詩韻不熟，則可查目錄索引。如既字十一
畫即可在目錄索引查得，其下注明六七七。就是「既」
字的頁數，此書在臺灣有世界書局版。

三、經傳釋詞

　　此書十卷，清王引之撰。王氏自九經三傳及周秦兩漢之書，凡語助之文，遍為搜討，分字編次，而成此書。凡一百六十字，前人所未及者補之，誤解者正之，若其易曉，則略而不論，可以說是一部專門查虛字意義的字典。

　　例如我們讀李善注《昭明文選・司馬子長・報任少卿書》：「假令僕伏法受誅，若九牛亡一毛，與螻蟻何以異？而世又不與能死節者。」此一段文字，「與」字不能以常語解釋。則查目錄，「與」字在第一卷。

　　與　鄭注《禮記・檀弓》曰：「與、及也。」常語也。

　　與猶以也。《易・繫辭》曰：「是故可以酬酢，而與佑神矣。」言可以酬酢，可以佑神也。……

　　家大人曰：與猶為也。《韓子・外儲說左》篇：「名與多與之，其實少。」言名為多與之而其實少也。……

　　家大人曰：與猶為也。（此為字讀去聲，按讀ㄨㄟˋ）

《孟子·離婁》篇曰：「所欲與之聚之。」言民之所欲，則為（ㄨㄟˋ）民聚之也。

家大人曰：與猶謂也。《大戴禮·夏小正》傳曰：「獺獸祭魚，其必與之獸何也？曰：非其類也。」與之獸，謂之獸也。「來降燕乃睇室，其與之室何也？操泥而就家，入人內也。」與之室，謂之室也。《曾子事父母》篇曰：「夫禮、大之由也，不與小之目也。」不、非也；與、謂也。言禮在由其大者，非謂由其小者而已矣。李善本《文選·報任少卿書》曰：「假令僕伏法受誅，若九牛亡一毛，與螻蟻何以異？而世又不與能死節者。」言世人不謂我能死節也。

王氏把與解釋為謂，可說文從字順，非常愜理厭心。而後人不知「與」作「謂」解。於是《漢書·司馬遷》作「不與能死節者比。」五臣本《文選》作「不能與死節者次比。」都是不曉文義而妄加增改的。此書所稱「家大人」指其父親王念孫。清吳昌瑩撰《經詞衍釋》，續王氏所未詳，釋王氏所未及，推廣博衍，編次與王氏同。二書均由世界書局出版。

四、古書虛字集釋

吾友應裕康、謝雲飛合編《中文工具書指引》云：

裴學海撰　商務印書館　民國 23（1934）年 10 月初版　上海　廣文書局　民國 51（1962）年　臺北

本書共收 290 虛字，解釋以《經傳釋詞》為主，他如《助字辨略》、《古書疑義舉例》、《詞詮》、《高等國文法》、《新方言》、《經傳釋詞補》等訓解，都選擇收入。徵引例句，則以周秦兩漢的古書為主，列朝之要籍為輔。

書前有總目，書後有〈《經傳釋詞》正誤〉，〈類書引古書多以意改說〉等附錄。

我們怎來利用此書呢？例如我們讀《詩經・小雅・斯干》三章：「約之閣閣。椓之橐橐。風雨攸去，君子攸芋。」四章：「如跂斯翼。如矢斯棘。如鳥斯革。如翬斯飛。君子攸躋。」五章：「殖殖其庭。有覺其楹。噲噲其正。噦噦其冥。君子攸寧。」這三章詩當中出現許多攸字，這個攸字，當訓何義。查目錄卷一可見「由

絲猶攸逌迪欲猷」條，在六十四頁可看到「攸」字。

> 「攸」猶「是」也。「攸」與「所」同義，「所」訓「是」（說詳所字條❶），故「攸」亦訓「是」。

---

❶ 《古書虛字集釋·卷九》所字條下云：「所」猶「是」也。一為「此」字義：《呂氏春秋·審應》篇：「齊亡地而王加膳，所作非兼愛之心也。」一為「是非」之「是」：《韓詩外傳·三》：「泰山岩岩。魯邦所瞻。」《說苑·雜言》篇作「魯侯是瞻。」《國語·晉語》：「除君之惡，唯力所及。」《左傳僖二十四年》作「唯力是視」。《列子·仲尼》篇：「唯命所聽。」與《左傳宣十五年》「唯命是聽。」同義。〈湯問〉篇：「唯命所從。」與《老子》「唯道是從。」文例同。《易·繫辭傳》：「惟變所適。」《孟子·梁惠》篇：「惟君所行也。」《管子·侈靡》篇：「一上一下，唯利所處。」《戰國策·韓策二》：「客何方所循。」〈趙策〉：「寡人所親之。」《淮南子·說山》篇：「今女已有形名矣何道之所能乎？」「之所」皆訓「是」。《說苑·政理》篇：「奚獄之所聽，……奚鼓之所鳴。」「之所」皆訓「是」，與此同例。《論衡·寒溫》篇：「當其寒也，何刑所斷？當其溫也，何賞所施？」《墨子·法儀》篇：「故百工從事，皆有法所度；今大人治大國，而無法所度，此不若百工辯也。」《淮南子·齊俗》篇：「衣服禮俗者，非人之性也，所受於外也。」「所」與「非」為對文，可證「所」當訓「是」。

《詩·蓼蕭》篇：「萬福攸同。」「萬福攸同」，即「萬福是聚。」（同、聚也。見〈吉日〉篇鄭箋。）猶〈桑扈〉篇言「萬福來求」。（來、是也。訓見《經傳釋詞》。求與逑同，聚也。說見《經義述聞》。）〈長發〉篇言「百祿是遒」也。（遒、聚也。見毛傳。）

〈斯干〉篇：「風雨攸除。鳥鼠攸去。君子攸芋。（「芋」與「宇」同，居也。說詳《經義述聞》）……君子攸躋。……君子攸寧。」按此與「君子所履」文例同，「所」亦「是」也。

五、詩詞曲語辭典

是書張相著，中華書局出版，1953 年 4 月 1 版。民國四十六年六月，藝文印書館初版。這是第一部有關詩詞曲方面的工具書，彙集唐、宋、金、元、明以來流行於詩詞劇曲中之特殊詞語，自單字以至短語，其性質泰半通俗，非雅詁舊義所能賅，亦非八家派古文所習見也。自來解釋，未有專書，本書彙而釋之。

本書每條之次序，大體由詩而詞而曲，無則闕其一

或闕其二，每組之證，略依撰人之時代先後以為次。

援引例證時：詩則稱某人某題詩，詩題過長，間亦節短，但題首每仍其舊，以便複檢。詞則種某人某調詞，或加題目。雜劇則稱某某劇，小令則稱某人小令某調，或加題目，套數則稱某書某人某套，或加題目。無題目者，則標其首句曰某某篇。

例證所引文字，直接與本條之標目有關者，字旁加套圈❷以為識；間接足以發明者，字旁加尖角❸以為識。

假定一義之經過，陳述於下：一、體會聲韻。二、辨認字形。三、玩繹章法。四、揣摩情節。五、比照意義。

本書疏釋，忌著死句，古人托興所及，乍陰乍陽，正其妙絕天人之處。古人語簡，一語辭包涵數義，當時口耳流行，聞者意會，今則不得不設為多義以求吻合。

今舉十四畫「揭來」一詞為例，錄之於下：

揭來（一）

---

❷　套圈今改單圈。
❸　尖角今改黑點。

朅來、猶云盍來也。《升庵詩話》：「按《呂氏春秋》膠鬲見武王于鮪水，曰：『西伯朅去？無欺我也。』武王曰：『不子欺，將伐殷也。』膠鬲曰：『朅至？』武王曰：『將以甲子日至。』注：『朅、何也。』若然，則朅之為言盍也。……則今文所襲用朅來者，亦為盍來也。」按盍字有兩義：一為何義，一為何不義，詳見王引之《經傳釋詞》。本條即依王氏兩義，分疏如下。准以《呂氏春秋》朅去、朅至之義，則升庵所謂盍來者，當為何義。朅來、猶言何來也。顏延年〈秋胡〉詩：「高節難久淹，朅來空復辭。」意言秋胡婦之高節，久而不淹，秋胡何為空以言辭挑之也。陳與義〈衡嶽道中〉詩：「城中望衡山，浮雲作飛蓋。朅來岩谷遊，卻在浮雲外。」意言遠望山時，浮雲在山頂，何以至游山時，卻在浮雲外也。卻在浮雲外，猶云反在浮雲上，意以狀山之高。上兩則均為「何來由」之義。李白〈感興〉詩：「朅來荊山客，誰為珉玉分。良寶絕見棄，虛持三見君。」此可以適從何來之義釋之。言玉石不分之世，何來此獻璞之荊山客也。文同〈月嵓齋〉詩：「應是當年

靈鷲山，直至天竺飛落西湖前。其上有石妊月月已滿，此人朅來就彼剗剔歸上天。」言此人何來，就石上剗剔也。《南宋六十家・鄭清芝・蘡薁詩》：「一別楚產知幾年？孤根朅來植鄞川。」言此物何來而植於鄞川也。以上為何來義。

然朅來亦有可以何不來釋之者。高適〈和崔二少府登楚丘城〉詩：「公侯皆我輩，動用在謀略。聖心在賢才，朅來刈葵藿。」意言何不來採取葵藿傾太陽之志誠也。葵藿為自況之辭。義見《三國志・曹植傳》。李白〈訕王補闕贈別〉詩：「勿踏荒蹊渡，朅來浩然津。薜帶何辭楚，桃源堪避秦。」此與勿字相應，言何不來浩然津也。浩然津猶雲寬閑之野，寂寞之濱。下二句即其注腳。李商隱〈井泥〉詩：「我欲秉鈞者，朅來與我偕。」此與上述高適詩同機軸。《宋百家詩存・樂雷發・烏烏歌》：「請君為我焚卻〈離騷賦〉，我亦為君劈碎〈太極圖〉，朅來相就飲鬥酒，聽我仰天歌烏烏。」言何不來就我飲酒，聽我唱歌也。以上為何不來義，為盍來之又一義。

朅來（二）朅

朅來猶云去也。《韻會》：「朅、去也。」皮日休〈初夏遊楞迦精舍〉詩：「朅去山南嶺，其險如卭笮。」曰朅去者，重言也。以朅為義，來為語辭，則為朅來。李白〈送王屋山人魏萬還王屋〉詩：「西南清洛源，頗驚人世誼。采秀臥王屋，因窺洞天門。朅來遊嵩峰，羽客何雙雙。朝攜月光子，暮宿玉女窗。」言去而遊嵩峰也。據詩序，此時白與魏萬相見於廣陵，贈詩以曆敘其遊蹤。又〈題嵩山逸人元丹邱山居〉詩：「家本紫雲山，道風未淪落。況懷丹邱志，沖寞歸寂寞。朅來遊閩荒，捫涉窮禹鑿。夤緣泛潮海，偃蹇陟廬霍。」言去而遊閩泛海陟廬霍也。韋應物〈大樑亭會李四棲梧〉詩：「富貴良可取，朅來西入秦。秋風旦夕起，安得客梁陳。」言去而西入秦也。李羣玉〈將游羅浮登廣陵楞迦台〉詩：「朅來羅浮顛，披雲煉瓊液。」題言將游羅浮，則為預擬之辭，此猶云到羅浮去來。李涉〈春山〉三朅來詩，一云：「釣魚朅來春日暖，沿溪不厭舟行緩。」二云：「山上朅來采新茗，新花亂髮前山頂。」三云：「采藥朅來藥苗

盛，藥生只傍行人徑。」此猶云釣魚去來，山上去來，采藥去來也。鮑溶〈採蓮曲〉二首，一云：「弄舟朅來南塘水，荷葉映身摘蓮子。」二云：「採蓮朅來水無風，蓮潭如鑒松如龍。」此猶云弄舟去來，採蓮去來也。《南宋六十家·吳汝弌朅來詩》二首，一云：「領上朅來觀白雲，翔鸞奮鶴浮天英。」二云：「領上朅來弄明月，千里銀光寒不缺。」領上即嶺上，此猶云嶺上去來也。蘇軾〈朱壽昌郎中少不知母所在求之五十年得之蜀中〉詩：「感君離合我酸辛。此事今無古或聞。長陵朅來見大姊，仲孺豈意逢將軍。」言漢武帝去到長陵覓大姊也。長陵句事見《漢書·外戚傳》，仲孺句，事見《霍光傳》。皆骨肉重逢之事，詩中故以為比。

朅來（三）

朅來、猶云來也。朅為發語辭（見《韻會》），以來為義，略同聿來。張九齡〈歲初登高安南樓言懷〉詩：「朅來彭蠡澤，載經敷淺原。」言來到彭蠡澤也。顏真卿〈刻清遠道士詩〉詩：「不到東西寺，於今五十春。朅來從舊賞，林壑宛相親。」言

重來舊遊之地也。徐浩〈謁禹廟〉詩:「負責故鄉近,朅來申俎羞。」言來申俎羞之敬也。蘇軾〈陪歐陽公燕西湖〉詩:「謂公方壯鬚如雪,謂公已老光浮頰。朅來湖上飲美酒,醉後劇談猶激烈。」言來湖上飲酒也。又〈上巳日游荊山塗山〉詩:「此生終安歸,還軫天下半。朅來乘樏廟,復作微禹歎。」言來到禹廟也。又〈廉泉〉詩:「朅來廉泉上,捋須看賓眉。」言來到廉泉上也。〈鄮峯真隱大麯採蓮舞漁家傲〉詩:「我昔瑤池飽宴遊,朅來樂國已三秋。」言來到樂國也。辛棄疾〈念奴嬌〉詞,戲贈善作墨梅者:「疑是花神,朅來人世,占得佳名久。」言花神來到人世也。周紫芝〈水龍吟〉詞:「堪笑此身如寄,信扁舟朅來江表。」言來到江表也。

朅來（四）

朅來、猶云爾來或爾時以來也。猶云迄今,為來字之又一義,朅則發語辭也。凡敘述有時間關係者,可以此義釋之。柳宗元〈韋道安〉詩:「朅來事儒術,十載所能逞。」言爾來事儒術經十載,亦猶云

事儒術十載以來也。蘇軾〈送安惇秀才失解西歸〉
詩：「我昔家居斷往還，著書不復窺園葵。朅來東
遊慕人爵，棄去舊學從兒嬉。」此亦爾來義，與昔
字相應。又〈潁州湖成次德麟韻〉詩：「我在錢塘
拓湖淥，大堤士女爭昌豐。……朅來潁尾弄秋色，
一水縈帶昭靈宮。」義同上，此與在錢塘句相應，
意言我昔在錢塘時，曾修拓錢塘之西湖，一時極士
女堤上嬉游之盛，爾來潁州之西湖告成，亦復有一
次縈帶之觀也。又〈送劉道原歸覲南康〉詩：「十
年閉戶樂幽獨，百金購書收散亡。朅來東觀弄丹
墨，聊借舊史誅奸強。」義同上，與十年字相應。
陸遊〈幽棲〉詩：「朅來三十載，吾鬢固宜霜。」
言爾來已三十載，亦猶云三十載以來也。何遜〈行
經孫氏陵〉詩：「水龍忽東騖，青蓋乃西歸，朅來
已永久，年代曖微微。」言自爾時已來也。王之道
〈沁園春〉詞：「堪嗟日月如流，甚首夏朅來今半
秋。」此以來義，言自首夏以來也。

朅來（五）朅

朅來、語助辭。張協〈雜詩〉：「感物多思情，在

險易常心。朅來戒不虞，挺轡越飛岑。」陳子昂
〈感遇〉詩：「朅來豪遊子，勢利禍之門。」張九
齡〈奉和崔尚書雨後大明堂望南山〉詩：「朅來青
綺外，高在翠微先。」李益〈自朔方還法雲寺三門
避暑〉詩：「予本疏放士，朅來非外矯。誤落邊塵
中，愛山見山少。」蘇軾〈次韻周開祖長官見寄〉
詩：「朅來震澤都如夢，只有苕溪可倚樓。」以上
各朅來字，皆難強解，蓋朅與來皆為語助辭，合為
一辭，以之發語，不為義也。亦有僅用一朅字者。
蘇軾〈生日王郎以詩見慶〉詩：「朅從冰叟來遊
宦，肯伴臞仙亦號儒。」《宋百家詩存·劉弇·大
孤山》詩：「中有神朅臨，睥睨舟往還。流俗謂女
子，影纓來此山。」亦皆語助，不為義也。

六、小說詞語彙釋

　　是書由陸澹安編著，中華書局 1964 年第 1 版，臺
灣中華書局民國六十三年台三版，共收詞條萬餘條，內
容包括成語、俗語、方言、江湖流行的黑話，各行各業
的術語、諺語等。本書是彙釋通俗小說的專門辭書，所

收詞語均來自清末以前流傳較廣的通俗小說中的辭彙，可作語言文學之研究者參考。

　　本書所收詞語，以首字筆劃多少為序，一畫之中，又依字典部首為序，首字相同者，字數多少為序，首字相同而字數又相同者，以次字筆劃多少為序。茲舉其所收「一發」一辭為例，錄之於下：

　　一**發**有三種意義：

㈠索性。元曲中亦有之。《玉鏡臺》三折〈迎仙客〉曲：「一發的走到底，大家吃一會沒滋味。」

【例一】《三國演義》二十七：想他去此不遠，我一發結識他，做個人情。

【例二】《水滸》二：教頭今日既這裏，一發成全了他亦好。

㈡越發。元曲中亦有之。《鴛鴦被》一折白：「小姐，若真個打起官司來，出乖露醜，一發不好。」

【例一】《京本通俗小說》十五：買賣行中一發不是本等技倆，又把本錢消折去了。

【例二】《水滸後傳》二：你伯伯一發古懶了，教我不要與鄒閏來往。

㈢一起。元曲中亦有之。《東牆記》三折〈耍孩兒〉三煞：「似這等偷香竊玉，幾時得一發明白。」

【例一】《宣和遺事》：武士一發向前，正欲擒那僧人。

【例二】《水滸》二：我家也有頭口騾馬，教莊客牽出後槽一發餵養。

七、大辭典

是書係三民書局董事長劉振強先生邀集臺北各大學中文系教授數十人，經始於民國六十年初，出版於民國七十四年八月（1985）。是書收錄單字 15106 字，詞頭 127430 條。字詞中所引出處，皆逐條詳細核對原文。字之選錄，以教育部標準常用國字、次常用國字及一般辭書所收錄者為據，並酌補新字，使其完備。字之排列，以康熙字典部首排列先後序。凡標準字體與宋體字形體不同者，二形並列。如：

既　旣

字音標注，幾由筆者一人任之，故其條例，較為清楚。茲詳錄其例於下：

㈠每字先注國語注音符號，然後依次為國語注音符號第二式、威妥瑪式音標（Wade-Giles System）、切語、直音、詩韻。直音以今通行字國音為據，若無適當直音的字則從闕。如：

人 ㄖㄣˊ rén jên² 如鄰切 音仁 真韻

㈡國語有讀音、語音的區別，而無辨義作用，則讀音列在切語的前面，語音列在韻目的後面。如：

白 ㄅㄛˊ bó po² 傍陌切 音帛 陌韻 語音ㄅㄞˊ bái pai²

㈢國語讀音與切語不符的，則以切語推出的音注在前面，而以國語音讀注在後面。注明今讀。如：

恢 ㄎㄨㄟ kuēi k'uei¹ 苦回切 音盔 灰韻 今讀 ㄏㄨㄟ huēi hui¹

㈣讀音與語音所牽涉的字義不完全相同時，則字義的訓釋列於讀音下，另標注一音而注明為某義之語音。

如：

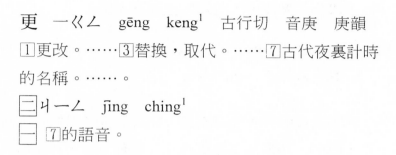

更　一ㄍㄥ　gēng　keng[1]　古行切　音庚　庚韻
①更改。……③替換，取代。……⑦古代夜裏計時
的名稱。……。
二ㄐㄧㄥ　jīng　ching[1]
一　⑦的語音。

㈤字有多音，切語不同，而意義相同，則諸音並
列，國語最常用的音排列在前，而用　一　二　三　加以
區別。如：

茹　一ㄖㄨˊ　rú　ju[2]　人諸切　音如　魚韻
　　二ㄖㄨˇ　rǔ　ju[3]　人渚切　音乳　語韻
　　三ㄖㄨˋ　rù　ju[4]　人恕切　音入　遇韻

㈥切語有二，今國語同音，則先標音符，然後以
（一）、（二）區別其切語及韻目。如：

俇　ㄍㄨㄤˋ　guàng　kuang[4]　（一）古況切　音
誑　漾韻　（二）求往切　音逛　養韻

㈦威妥瑪式音標根據早期國語拼音，有些音讀未

當，凡遇此類音讀，據威氏拼法改正，以原來音標注前，改正音標注後，並以逗號區別。如：

歌　ㄍㄜ　gē　ko¹　kê¹
私　ㄙ　sz̄　szǔ¹　ssu¹

　　字義之解釋，先釋本義，然後依次為引伸義、假借義、虛字、外來語及姓氏等，一字有多義，其義項則以1 2 3 來區分，字有多音多義，則義隨音列。每一字義，先以簡潔語體解釋，然後引證出處，必要時再加按語。

　　詞的編排，先依辭彙字數多寡排列，再依辭彙第二字筆劃多寡為次，如筆劃相同，則按永字八法的點、橫、豎、撇為序。

　　詞的注音，每一辭彙，均以國語注音，如遇有讀音、語音差別，凡古代詞用讀音，現代詞則標語音。詞有多音，則用一 二 三 區別，若二音意義相同，則注明又讀。

　　詞之解釋，以簡潔語體解釋，並徵引出處，若無出處則從缺。聯綿詞歸於上字，加以解釋。如有多義，先解本義，然後依次為引伸義，借用義，並徵引出處，其

義項則以１２３　區別。

　　專有名詞，先標書名、山名、河名、國名、城市名等，然後加以解釋。各科專有名詞，則先標明其類別，如佛家語、醫學名詞、法律名詞等，然後再加解釋。

　　譬如我們讀到王士禛〈戲仿元遺山論詩絕句〉：「文章煙月語原卑。一見空同迥自奇。天馬行空脫羈靮，更憐譚藝是吾師。」要想知道「天馬行空」一詞的出處與含義，就可查《大辭典》每冊封面內頁的「部首索引」三畫大部，在大部一畫下可找到天字，在 1000 頁，然後在四個字的詞頭下，在 1023 頁可看到「天馬行空」一詞，釋為神馬奔馳天空，比喻人的才氣縱橫，毫不受拘束。出自劉子鍾〈薩天錫詩集序〉：「其所以神化而超出於眾表者，殆猶天馬行空，而步驟不凡；神蛟混海，而隱見莫測。」

　　又譬如我們讀到蘇軾〈念奴嬌・赤壁懷古〉詞的「羽扇綸巾，談笑間、強虜灰飛煙滅。」我們不知「綸巾」一詞的音義，就可查《大辭典》「部首索引」六畫「糸」部在中冊 3687 頁可查到「綸巾」一詞讀音為ㄍㄨㄢ ㄐㄧㄣ。釋義為「古時以青絲帶編成的頭巾。」

　　《大辭典》後附有十六項附錄，均極為有用，茲錄
於下：

　　1.中國歷史紀年表。 2.中華民國憲法。 3.中華民國
　　中央政府組織表。 4.度量衡法。 5.中國國家標準
　　（CNS）單位換算表。 6.度量衡標準單位表。 7.中
　　外度量衡換算表。 8.世界各國幣制。 9.世界時區圖
　　表。 10.華氏攝氏溫度換算表。11.世界各國面積人口
　　首都一覽表。 12.威氏音標索引。 13.西文譯名對照索
　　引。 14.筆劃總檢字表。 15.注音符號索引。 16.國音注
　　音符號與各式中文拼音音標系統對照表。

八、漢語大詞典

　　《漢語大詞典》是由上海市、山東省、江蘇省、浙
江省、福建省有關單位共同編寫，從 1975 年到 1986 年
第一卷出版，前後歷時十年，《漢語大詞典》共十二
卷，最後一卷於 1993 年 11 月出第一版。全書自經始至
殺青，前後歷十八年，可謂二十世紀中最博大的也最豐
富的一部漢語詞典。至出版為止，尚存編輯人員有主編

羅竹風、副主編徐復、陳落、蔣禮卿、蔣維崧諸人。學術顧問尚存者有呂叔湘、張政烺、陳原、周有光、周祖謨、俞敏、姜亮夫。據該詞典後記，全書十二卷，共收詞語三十七萬五千餘條，約五千萬字。譬如們讀到文天祥〈己卯歲除〉詩云：「日月行萬古，神光索九縣。」不知「九縣」一詞，意何所指？我們就可查《漢語大詞典》第一卷部首檢字表乙部有「九」字下注 726，那是說在本冊 726 頁，查 726 頁，有九字，在 754 頁，有「九縣」一詞，釋作「九州」。這樣我們就知道「九縣」一詞的確實意義了。或者查《漢語大詞典》的〈單字中文拼音索引〉在 jiǔ 下也可以找到「九」字，下注① 726。就是說「九」字在第一卷 726 頁。

第二章　檢查文章辭藻的工具書

一、佩文韻府

　　是書按詩韻分卷，共一百零六卷。清聖祖康熙四十三年（1704）敕撰，五十年（1711）書成，前後歷時八年。此書分韻隸事，把元陰時夫的《韻府羣玉》、明淩稚隆的《五車韻緒》盡行收入，並大加增補。除單字之解釋外，又搜羅了許多辭彙，每一辭彙都注明它的出處。體例上是首列「韻藻」，就是《韻府羣玉》和《五車韻隆》二書中已收的辭彙。次標「增字」，即《佩文韻府》所增收的新字，每項都以二字、三字、四字相從，而依末一字分韻，分隸於所屬的韻目下。末了又有「對語」與「摘句」，對語是平仄相對的辭彙，摘句是前人用此字為韻（或末一字）的佳句，加以摘錄。這是

提供後人學詩屬對參考用的。茲錄其卷一上平聲一東韻的「東」字為例，以明其體例。

東 德紅切。春方也。〈漢書〉少陽在一方。一、動也。從日在木中會意也。《禮記》大明生於東一。又姓。陶潛《聖賢羣輔錄》舜友一不訾。

韻藻 南東《詩》——其畝。〈李孝先詩〉余其歸老兮，沂之——。〈邵寶詩〉楚帆連日阻——。自東《詩》我來——。《又》自西——。在東《詩》蟏蛸——。〈蘇軾詩〉我言歲——。……
澗瀍東《書·洛誥》我乃卜—水東—水西。惟洛食我，又卜瀍水—，亦惟洛食。首陽東《詩》采葑采葑，——之—。……
食西宿東《戰國策》齊有一女，二家求之，其母語女曰：欲東家則左袒，欲西家則右袒。其女兩袒。曰：欲東家食而西家宿。以東家富而醜，西家貧而美也。

增 震東《易》——方也。《漢書》震在於東方，為春為木。《朱子》——兌西。離東《伏羲八

卦圖圖》乾南坤北，——坎西。……

對語	渭北	日下	河內	閭左	硯北	河朔
	江東	天東	濟東	郭東	席東	京東
	雲北	海右	平北	洛下	床北	隴畔
	水東	朔東	安東	齊東	爐東	溪東
	巷北	尚左	關下	竹外		
	牆東	先東	城東	蓮東		

北山北　　雞塞北　　床上下　　三島外　　春將夏
東穀東　　鳳城東　　屋西東　　五湖東　　西復東
天祿上　　金錯落　　星拱北　　平蕪外　　萱樹北
日華東　　玉丁東　　水流東　　迭浪東　　菊栽東
深竹裏　　空冀北　　榆塞外　　天極北　　山遠近
碧梧東　　秀江東　　柳城東　　地維東　　水西東
梅影畔　　南北極　　星橋外
竹籬東　　大小東　　斗柄東

摘句	力障百川東　　農作正宜東　　攜琴又向東
	圓蟾玉殿東　　光升必自東　　列第禁垣東
	飛夢過江東　　抵玉泰山東　　鄉山積水東
	經聲小塢東　　相訪竹林東　　紫蓋白雲東
	橋連芡蒲東　　香生衣桁東　　分曹畫省東

車徒鳳掖東　　花信短牆東　　仙鯉耀潭東

旌旗渭水東　　相業起山東　　名高淮海東

細草岸西東　　河源落日東　　今朝歲起東

翠華拂天來向東　　歲歲春風綠自東

快覩扶桑日上東　　鳴鞭曉日禁城東

班姬扇樣碧峰東　　好山分占水西東

寒柯蒼蒼夕照東　　內庭秋燕玉池東

半溪秋水帶愁東　　笑倚梅花月正東

菊花依舊繞籬東　　宛似山光水閣東

搖搖畫舫艤湖東　　側帽垂鞭小陌東

鬥酒相過薊苑東　　籬燈人喚野亭東

落花還逐水流東　　漁莊只在畫橋東

浮雲去住水西東　　青松多種古台東

江接三湘近楚東　　日輪潮湧始知東

百雉蒼茫煙雨東　　蓼花楓葉忘西東

夜半仙舟過剡東　　清歌擁節太行東

山色湖光並在東　　新作茅齋野磵東

買得吳船便欲東　　象床豹枕畫廊東

　　這是一部兼有檢查典故與詞藻的工具書，我們要怎

樣來利用這本書呢？例如我們讀到魏文帝〈與朝歌令吳質書〉云：「昔伯牙絕弦于鍾期，仲尼覆醢于子路。」於「覆醢」一詞有所不明。就可以用此書來幫助我們解決所遇到的問題。首先我們查「醢」字，知在卷四十上聲十賄韻❶。然後在《佩文韻府》十賄韻即可找到「醢」字。

> **醢** 呼改切。肉醬。亦作醯。
> 韻藻 醢醢 免醢 魚醢 脯醢 歜醢 覆醢
> 《禮記》孔子哭子路於中庭，有人吊者，而夫子拜之，既哭，進使者而問故，使者曰：醢之矣。遂命覆醢。……

從《禮記》這一段話，我們就可以明瞭「覆醢」一詞的出處及意義了。

又如我們讀蘇東坡〈雪後書北台壁詩〉：

---

❶ 如果詩韻不屬，可查《大辭典》找出此字所屬的韻目。現在臺灣學海出版社印行了一本附筆畫索引的《詩韻集成》，也可以參考。

城頭初日始翻鴉。陌上晴泥已沒車。凍合玉樓寒
起粟，光搖銀海眩生花。遺蝗入地應千尺，宿麥
連雲有幾家。老病自嗟詩力退，空吟冰柱憶劉
叉。

在這首詩裏「玉樓」「銀海」二詞，意義不明晰，不知
出處為何？我們可查「海」字知在卷四十上聲十賄韻，
然後在十賄韻就可找到「海」字。

海 呼改切。《說文》天池也，以納百川者。亦
州，亦姓。

韻藻					
江海	沿海	四海	南海	河海	後海
北海	東海	表海	浮海	觀海	沙海
負海	渤海	裨海	大海	瀛海	小海
山海	翰海	巨海	越海	滄海	煮海
西海	陸海	測海	如海	泛海	玉海
漲海	遼海	桂海	幼海	少海	塪海
冥海	語海	圓海	碧海	學海	艘海
宦海	紫海	渡海	銀海		

《乾饌子》裴均鎮襄州，裴弘泰為鄭滑館驛巡官，

均設宴，弘泰後至，請在座銀器，盡斟酒滿之，隨飲以賜，均許焉。弘泰飲訖，即實於懷，有——受一斗，以手捧飲，將覆地，以足踏之，卷抱而出。……又蘇軾〈雪後書北台壁詩〉：凍合玉樓寒起粟，光搖——眩生花。注：王荊公云：道家以肩為玉樓，眼為銀海。

知道肩為玉樓，眼為銀海，蘇東坡這首詩就好懂了。

此書在臺灣有商務印書館影印本。

二、淵鑑類函

是書共四百五十卷，又目錄四卷，清聖祖敕撰，康熙四十年（1701）年成書。康熙皇帝以類書之作，自宋明以後，編撰漸多，但求一部「博而不繁」、「簡而能明」的也不多見。只有明代俞安期的《唐類函》還稱得上「詳括」二字。但《唐類函》所收只有唐以前的資料，宋以後則告缺如即唐以前的書也有脫漏，所以命儒臣張英、王士禎等「逖稽廣搜，沂洄經籍，網羅近代。」增《唐類函》之所無，詳《唐類函》之所略，依

類相從，而成此書。是書成《唐類函》所收虞世南《北堂書鈔》五十五卷、歐陽詢《藝文類聚》一百卷、徐堅《初學記》三十卷、白居易《白孔六帖》一百零六卷、杜佑《通典》二百卷之外，又采李昉《太平御覽》一千卷、王應麟《玉海》二百卷增補。《唐類函》原分四十三部，《淵鑑類函》即按原書諸部加補又於藥果木部中析出花部，另為一部，故共分四十四部。

我們如何利用這部書呢？可從兩方面來說：一方面我們讀書看到典故，有所不明，可查此書，以助瞭解。例如我們讀姜白石詞〈疏影〉：「猶記深宮舊事，那人正睡裏，飛近蛾綠。」不知姜氏所用何典？就可查《淵鑑類函》。因為深宮必與帝王後妃有關，查目錄，「後妃部」在五十七卷與五十八卷，在《淵鑑類函》五十八卷「公主」三下所增有「梅花妝」一詞，下注云：

> 《翰苑新書》曰：「宋武帝女壽陽公主，人日臥于含章簷下，梅花落公主額上，成五出之花，拂之不去，自後有梅花妝。」

則可知白石詞正用壽陽公主之舊事。

　　另一方面，當我們寫一篇文章，想借一歷史故實來稱揚某教授教學的成就，因為從他受業的弟子，目前在政界都有很高的地位，但是一時想不起用什麼典故好。那麼就可查目錄，「師」在二百五十二卷「人部」十一。查《淵鑑類函》二百五十二卷師三下，就可看到有「蘇張從學、房杜受業」的話，這就是最適宜於稱揚某教授的典故了。此書在臺灣有新興書局影印本。

三、駢字類編

　　清聖祖敕撰，經始於康熙五十八年（1719），至清世宗雍正五年（1727）完成，前後歷時八年。《四庫提要》說：

> 是編與《佩文韻府》一齊尾字，一齊首字，互為經緯，相輔而行，凡分十二門，又補遺一門，所隸標首之字，凡一千六百有四，每條所引，以經史子集為次，與《佩文韻府》同，而引書必注其篇名，引詩必題其原題，學者據是兩編以索舊文，隨舉一字，應手可檢。

從《四庫提要》這段話，可知《駢字類編》與《佩文韻府》在當時是等量齊觀的，只是編撰的時間有先後之差而已。全書共分天地、時令、山水、居處、珍寶、數目、方隅、彩色、器物、草木、鳥獸、蟲魚一十二門。

此書編成後僅有卷次及分類目錄，分類目錄下又再分子目，但未標明頁碼，因此檢閱起來，十分不便。幸今中國書局印本另編《索引》一冊，以四角號碼編成索引，檢索方便。如不熟四角號碼者，還有〈首字筆劃索引〉，〈首字音序索引〉。也可檢索得到，就補充了原書的不足。

譬如我們作詩，要用一個以風字起頭的兩字辭語，就可以查〈首字音序索引〉，在 F 類 fēng 音下有「風」字，下注四角號碼為 7721_0，根據四角號碼，可找到「風虐」1/9/12b，這就告訴我們「風虐」一辭是在第一冊卷九第十二頁反面。風字的辭語從第一冊卷八第一頁正面開始，依其次序，鈔錄數則於下：

風天	風雲	風雨	風日	風月	風星	風霜
風露	風雪	風焱	風霧	風虹	風雷	風雹
風霆	風煙	風霞	風陰	風晴	風霾	風暈

風火……

我們就可在眾多的詞頭當中，擇取我們適合的辭語來使用，這就十分方便了。

四、分類辭源

《分類辭源》是為了適用詩詞研習者需要而作的，是專門供作詩填詞使用的工具書，上書依照宇宙間各種事物，收入八萬多條辭語，分成三十類千餘條目，又依不同平仄，分成二字、三字、四字等不同字數的辭語，計二百四十多萬字。詞章家可任意選擇創作時所需要的不同聲韻，不同字數的辭語，古今典籍可供作詩填詞使用的辭語，可說搜集殆盡。護此一書，不啻家藏萬卷，使用時可得左右逢源之妙。

我們要怎樣來利用此書呢？譬如我們要寫一篇文章，讚美某孝子，不知有些什麼辭語可用，就可查《分類辭源》人品類五孝，下有兩字的辭語：

女表　不匱　分椹　召鱗　生福　白華　吐食　成身　色養　全歸　先意……

三字的辭語有：

> 寸草心　三牲養　不能養　天翁知　白鳩郎　江巨
> 孝　老鴉陳　次弗辱……

四字的辭語有：

> 人無間言　下氣怡聲　大孝尊親　天經地義　五視
> 衣枕　不扇蚊虻……

這些辭語都可選擇使用，無論撰著詩文，都有很大的幫
助。此書在民國十五年（1926）12 月上海世界書局出
版，今有天津市古籍書店影印本。

五、增補大字事類統編

光緒戊子二月（1930）李世捷序《增補大字事類統
編》云：

> 有宋吳淑以沈博絕麗之才，效比事屬辭之體，首
> 撰《事類賦》百篇，固已約而舉簡而該矣。國朝
> 黃氏惜其未備，又從而廣之，自是而後，吳氏有

> 《廣事類賦》，王氏有《續廣事類賦》，張氏有《事類賦補遺》，黃氏復有《增補事類統編》之刻，引而伸之，觸類而長之，漱六藝之芳，各有千古，合諸家之作，勒為一書。上而日月星辰，下而山嶽河海，大而兵農禮樂，小而草木蟲魚，於是乎備矣，可不謂天下之大觀乎！且其抽秘騁妍，體物瀏亮。忽而骨重神寒，忽而風馳雨驟，忽而明珠僊露，忽而翡翠蘭苕，有語皆工，無體不備，好學之士，誠熟讀而深思之，將見熏班馬之香，摛屈宋之豔，雖進而登著作之堂，不難與古人相頡頏焉。

《增補事類統編》共分天文、歲時、地輿、帝王、職官、仕進、政治、禮制、音樂、人倫（附戚族）、文學（附文具）、學術、武功、邊塞、兵器、人品（附形體）、人事、閨閣、交際、技術（附巧藝）、釋道、靈異、飲食、寶貨、衣服、器用、宮室、花、草、木、果、禽、獸、水族、蟲豸等三十五部。每部又再細分細目。例如天文部細目有天、日、月（附月蝕）、星、星象$_{上}$、星象$_{下}$、渾天儀、風、雲、雷、雨、露、霜、

雪、雹、虹霓、河漢、霞、霧、氣、靄、陰。

　　再舉卷一天文部天一篇以見其編撰之體例：

天　太初之始，元黃混並。及一氣之肇判，生有形
於無形。於是地居其下而陰濁，天上而輕清。斯蓋
群陽之精，積氣而成。澒洞蒼莽，不可為象；溟涬
蒙鴻，莫知其終。其氣皓旰，其體穹窿。觀文以察
時變，垂象而見吉凶。大哉乾元，萬物資始，定宸
極於保鬥，驗日星於磨蟻。其運也轉如車轂，其速
也流如弩矢。……翱翔乎七市之場，縹緲於九重之
級，乃知自具爐錘，不待借形雕刻。

　　全將典實融於駢麗之文，讀來聲律鏗鏘，已具美文
之實，又博贍而可誦。不僅此也，文後尚有 摘對 ，亦
錄一則以見例：

化工　靈造　碧落　青冥　持盈　概滿　橐籥　函
三　忉利　圓靈　乾象　泰鴻
坐井觀　披雲覩　騑鹿上　乘龍升　碧翁翁　青蕩
蕩　彩虹架　素月流
日烘卵色　風應魚鱗　真機斲物　元化發桴　一中

造化　萬物根源　芽核相生　藻華克受　裁成風雨
驅馭陰陽

無論文或對，均在大字下有小注，將典實之出處，交代
極為詳明。

　　我們要怎樣來利用此書呢？譬如我們要寫一首詩給
同輩朋友，論其造詣，足為我之師，而對方折節相交，
要把這層關係表達出來，詩寫到最後兩句「論誼我應○
○○，竟蒙倒屣一相迎。」這三個○處，究應下何語妥
切，甚費苦思。看到卷六十一交際部師弟目類有「勤壇
畔之隨，盡北面之禮。」這就容易了，「隨壇畔」也
好，「參北面」也好，都是可用的辭語。

第三章　檢查事物掌故事實的工具書

一、藝文類聚

　　本書一百卷，唐歐陽詢等奉敕撰，民國 49 年，臺北新興書局有影印本，分裝十冊。民國六十九年亡友于大成為文光出版社主編，影印裝訂為五冊。

　　此書根據六朝以前，或唐代典籍，將其中有關自然知識、社會情況之記載，學術論著及文學藝術之創作，加以分門別類，摘錄彙編，使讀者便於查考資料，探索前代知識。全書分為四十七部，每部再分細目，共七百二十七子目，所引古籍共一千四百三十一種。而其中百分之九十，均已亡佚，故極具輯佚與校勘之價值。

　　編輯之體制為「事居於前，文列於後」，所謂「事」指採自經史子方面之資料，「文」則指採自集部

之資料。《四庫全書總目》認為本書為唐代最佳二大類書之一。

茲將各類目，列舉於下：

卷1－2　天部　　　　　　卷3－5　歲時部

卷6　地部　州部　郡部　　卷7－8　山部

卷10　符命　　　　　　　卷11－14　帝王部

卷15　后妃部　　　　　　卷16　儲宮部

卷17－37　人部　　　　　卷38－40　禮部

卷41－44　樂部　　　　　卷45－50　職官部

卷51　封爵部　　　　　　卷52－53　政治部

卷54　刑法部　　　　　　卷55－58　雜文部

卷59　武部　　　　　　　卷60　軍器部

卷61－64　居處部　　　　卷65－66　產業部

卷67　衣冠部　　　　　　卷68　儀飾部

卷69－70　服飾部　　　　卷71　舟車部

卷72　食物部　　　　　　卷73　雜器物部

卷74　巧藝部　　　　　　卷75　方術部

卷76－77　內典部　　　　卷78－79　靈異部

卷80　火部　　　　　　　卷81　藥香草部上

卷82　草部下　　　　　卷83－84　寶玉部

卷85　百穀部　布帛部　　卷86－87　果部

卷88－89　木部　　　　　卷90－92　鳥部

卷93－95　獸部　　　　　卷96－97　鱗介部　蟲豸部

卷98－99　祥瑞部　　　　卷100　災異部

　　此書日本人中津濱涉編有《藝文類聚引書索引》、《詩文題目索引》、《詩文作者索引》等，有助於檢閱。

二、北堂書鈔

　　唐虞世南撰，清孔廣陶校注，民國六十年臺北新興書局影印。北堂為隋秘省後堂，本書乃虞世南任隋秘書郎時所作。分十九部，每部再分細目，每目之下，下所引原文摘成為一標題，以大字排列，再以小字二行作注，注明引用書名或原文。所引各書都是隋代以前舊籍，大部份多失傳，因此本書為唐以前書輯佚最佳工具。茲列本書十九部稱以下，以便尋檢。

　　卷1－22　帝王部　　卷23－26　后妃部

卷27－42　政術部　　卷43－45　刑法部

卷46－48　封爵部　　卷49－79　設官部

卷80－94　禮儀部　　卷95－104　藝文部

卷105－112　樂　部　　卷113－126　武功部

卷127－129　衣冠部　　卷130－131　儀飾部

卷132－136　服飾部　　卷137－138　舟　部

卷139－141　車　部　　卷142－148　酒食部

卷149－152　天　部　　卷153－156　歲時部

卷157－160　地　部

此書日本人山田英雄編有《北堂書鈔引書索引》，民國六十二（1973）年，由名古屋采華書林出版，可供檢閱之用。

三、初學記三十卷

唐徐堅等奉敕撰，明安國校。全書分二十三部，三百一十三子目，其體制：敘事在前，事對次之，詩文在後，都是摘鈔六經諸子等古書。敘事比他種類書，較有條理，詩文除採錄隋以前古書外，兼及初唐。本書採

摭，雖不及《藝文類聚》廣博，但去取謹嚴，人多取
用。茲將該書總目列下，以便尋檢。

卷1－2　天部　　　　卷3－4　歲時部

卷5－7　地部　　　　卷8　州郡部

卷9　帝王部　　　　　卷10　中宮部

卷11－12　職官部　　卷13－14　禮部

卷15－16　樂部　　　卷17－19　人部

卷20　政理部　　　　卷21　文部

卷22　武部　　　　　卷23　道釋部

卷24　居處部　　　　卷25　器用部

卷26　服食部　　　　卷27　寶器部（花草附）

卷28　果木部　　　　卷29　獸部

卷30　鳥部（鱗介蟲附）

此書日本人中津濱涉編有《初學記引得》，民國六
十三（1974）年初版，可供檢閱之用。

四、太平御覽一千卷

宋李昉等奉勅撰。為宋代一大類書，初名《太平類

編》。據宋敏求《春明退朝錄》謂：「書成之後，太宗日覽三卷，故賜名《太平御覽》。」所引經史類書，凡一千六百九十餘種，雖有些轉引唐以前類書，但這些書十之七八，今已亡佚，因此本書有考偽、訂正以及輯佚古籍之用。

　　本書按事物之義類分成五十五部，部下再分若干類，類下又分若干子目，共分為四千五百五十八類。本書各子目下，引經史百家之言，依時代排列，自古至唐，略成起迄。凡所徵引，皆先錄書名，次錄原文，而不參以己見；稗官小說之詞，亦多屏而不錄。雖所引書籍，多轉錄類書，未能悉採原本。然徵引之富，版本之古，皆非其他古類書所能企及，故為儒林所珍視也。茲將五十五部名稱，表列於下：

卷 1－3　　總 目	卷 1－15　　　天 部	卷 16－35　　時序部
卷 36－75　　地 部	卷 76－116　　皇王部	卷 117－134　偏霸部
卷 135－154　皇親部	卷 155－172　州郡部	卷 173－197　居處部
卷 198－202　封建部	卷 203－269　職官部	卷 270－359　兵 部
卷 360－500　人事部	卷 501－510　逸民部	卷 511－521　宗親部
卷 522－562　禮儀部	卷 563－584　樂 部	卷 585－606　文 部
卷 607－619　學 部	卷 620－634　治道部	卷 635－652　刑法部

卷 653－658　釋　　部	卷 659－679　道　　部	卷 680－683　儀式部
卷 684－698　服章部	卷 699－719　服用部	卷 720－737　方術部
卷 738－743　疾病部	卷 744－755　工藝部	卷 756－765　器物部
卷 766－767　雜物部	卷 768－771　舟　　部	卷 772－776　車　　部
卷 777－779　奉使部	卷 780－801　四夷部	卷 802－813　珍寶部
卷 814－820　布帛部	卷 821－884　神鬼部	卷 885－888　妖異部
卷 889－913　獸　　部	卷 914－928　羽衣部	卷 929－943　鱗介部
卷 944－951　蟲豸部	卷 952－961　水　　部	卷 962－963　竹　　部
卷 964－975　果　　部	卷 976－980　菜　　部	卷 981－983　香　　部
卷 984－993　藥　　部	卷 994－1000 百卉部	

　　本書卷帙繁重，引書又雜，在使用上不得不借助於下列工具書：

　　1.太平御覽索引：本書由商務印行，依各細目之四角號碼排列，注明卷書頁數。

　　2.太平御覽引得：燕京大學引得編纂處，以《御覽》卷帙浩繁，乃據鮑刻本，編為引得，以便檢查。引得分為二部，一曰書目引得，乃將原書細目編成引得。二曰書名引得，以書目為主，將《御覽》所引之書，散見於各卷者，皆臚列於一處。二者皆用中國庋纈法排列，並附永字八畫筆畫檢字及西文拼音檢字，以便學

人。茲編一出，凡欲從《御覽》中尋檢事物者，不須細看目錄；欲輯佚者，不須細檢《御覽》一千卷，而一檢此篇，在某卷某處，皆一目瞭然，然後按號以求，甚為便利。

如何檢索《太平御覽》有關事物呢？除上述兩本工具書外，從《御覽》本書目錄，雖較費時，亦可求得。例如我們要寫一首與蘭有關的詩，我們可查《御覽》九百八十三卷香部三，目錄有「蘭香」一條。查蘭香，下載：

《易》曰：同心之言，其臭如蘭。蘭芳也。

《易卦通驗》曰：冬至廣莫風至，蘭始生。

《說文》曰：蘭、香草也。

《韓詩》曰：溱與洧。《說文》云：詩人言溱與洧方盛流洹洹然。謂三月桃花水下之時，士與女盛流，秉簡兮，秉執也。蘭蕑也。當盛流之時，眾姓與眾女方執蘭而拂除。鄭國之俗，三月上巳之日，此兩水之上，招魂續魄，拂除不祥。

《大戴禮·夏小正》曰：五月蓄蘭為沐浴。

《左傳》曰：鄭文公有賤妾曰燕姞，夢天使

與己蘭曰：余為伯儵，余而祖也是為而子，以蘭有國香，人服媚之。既而文公見之，與之蘭而御之。辭曰：妾不才幸而有子，將不信，敢徵蘭乎！姞曰諾。，生穆公，名之曰蘭。

《論撰考讖》曰：漸於蘭則芳，漸於蘭則臭。

《史記》曰：冬至短極蘭根出。

《蜀志》曰：先主殺張裕，諸葛亮救之。先主曰：芳蘭當門，不得不鋤。

《晉書》曰：惠帝時溫縣有人如狂，造書曰：兩火沒地，哀哉秋蘭。歸形街郵，終為人歎。及楊駿已死，楊后被廢，賈后絕其膳，八日而崩，葬街郵亭北，百姓哀之，兩火武帝諱，蘭楊后字也。

《宋書》曰：劉湛欲袁淑附己，而叔不為改意，由是大相乖失，淑乃賦詩曰：種蘭忌當門，懷璧莫向楚，楚少別主人，門非種蘭所。

《晏子春秋》曰：曾子將行，晏子送之曰：嬰聞君子贈人以財，不若以言，吾請以言乎！蘭本三年而成，湛之若潃，則君子不敬，庶人不

佩。湛之麇醯而駕征馬矣，非蘭本美也。蘇子
曰：蘭以芳自燒，膏以肥自炳而悅切，翠以羽殃
身。蚌以珠玫破。

《文子》曰：日月欲明，浮雲蓋之；叢蘭欲
脩，秋風敗之。

又曰：蘭芷不為莫服而不芳，與君子行遊，
苾兮如入蘭芷之室，久而不聞則與之化矣。

《范子》計然曰：大蘭出漢中，蘭輔出河東
弘農，白者善。

《孫卿子》曰：人之親我，欣若父母，其好
我，芬若椒蘭。

《淮南子》曰：兩心不可以得一人，一心可
以得百萬人，男子樹蘭，美而不芳，蘭芳草，女之
美芳也，男子樹之，蓋不然。繼子得食，肥而不澤。
繼子似母也。精不相與往來也。

《淮南子》曰：蘭生幽宮，不為莫服而不
芳。

《抱朴子》曰：人鼻無不樂香，故流黃、鬱
金，芝蘭、蘇合，玄膳、索膠，江蘺、揭車，春
蕙、秋蘭，價同瓊瑤，而海上之女，逐酷臭之

夫。

《家語》孔子曰：芝蘭生於深林，不以無人而不芳；君子修道立德，不為困窮而改節。為之者人也，死生者命也。

《語林》曰：謝太傅問諸子姪：子弟何豫人事，而政欲使其佳，諸人莫有言者。車騎答曰：譬如芝蘭玉樹，欲使其生於庭階耳。

又曰：毛成既負其才器，常稱寧為蘭摧玉折，不作蕭芳苂榮。

《羅含別傳》曰：含致仕還家，庭中忽自生蘭，此德行幽感之應。

蔡質《漢官儀》曰：尚書郎懷香握蘭，趨走丹墀。

盛弘之《荊州記》曰：都梁縣有小山，山上水極淺，其中悉生蘭草，綠葉紫莖，芳風藻谷，俗謂蘭為都梁，即以號縣云。

《本草經》曰：草蘭一名水香，久服益氣輕身不老。

《楚辭》曰：余既滋蘭之九畹兮。滋、蕃也。二十畝為畹。

又曰：扈江離與辟芷兮。扈、披也。楚人名披曰扈離，辟芷皆香草也。紉秋蘭以為佩

又曰：秋蘭兮麋蕪，羅生兮堂下。綠葉兮素枝，芳菲兮襲予。秋蘭兮青青，綠葉兮紫莖。滿堂兮美人，忽獨與余兮自成。

又曰：光風轉蕙泛崇蘭。

趙壹〈疾邪賦〉曰：勢家多所宜，欬唾自成珠。被褐懷珠玉，蘭蕙化為芻。

張衡〈怨詩〉曰：「秋蘭、喜美人也。嘉而不獲用，故作是詩也。猗猗秋蘭，植彼中阿。有馥其芳，有黃其葩。雖曰幽深，厥美彌嘉。之子之遠，我勞如何。○酈炎詩曰：靈芝生河洲，動搖回洪波。秋蘭榮何晚，嚴霜害其柯。哀哉之芳草，不植太山阿。

《琴操》曰：猗蘭操者，孔子所作也。孔子聘魯，諸侯莫能任，自衛反魯，過億谷之中，見薌蘭獨茂，喟然歎曰：夫蘭當為王者香，今乃獨茂，與眾草為伍，乃止車，援琴鼓之，自傷不逢時，託辭於香蘭云。

晉敷玄〈詠秋蘭詩〉曰：秋蘭陰玉池，池水

清且芳。雙魚自踴躍，兩鳥時徊翔。○晉王羲之
〈蘭亭記〉曰：永和九年，歲次癸丑，暮春之
初，會于會稽山陰之蘭亭。修禊事也。

有關的經史子集四部文選，皆詳加收錄，各項材料
均在其中，對使用者而言，十分方便。

五、太平廣記五百卷

宋李昉等奉敕纂，是書與《太平御覽》並於太平興
國二年同時受詔撰，三年八月，《廣記》先成，雜編野
史、傳記、小說，勒為五百卷，自神仙類至雜錄，凡分
九十二大類。約百五十餘小類。引用書目說是共三百四
十種，但仔細查勘，實有四百七十五種。亡佚者二百四
十餘種。書之體例，每大類中復分子目，每卷子目自數
條至三十餘條不等；每條以子目為題，編錄原文一段，
間或數段，不注出處，出處雖有遺漏，大體尚備。其中
內容，多談神怪，而古代傳奇小說，多賴以保存。其他
名物典故、風俗習慣，亦錯出其間。蓋以摭采繁富，據
依奇古，可謂為說部之淵藪，詞林之津逮。可供社會史

料及風俗變遷之研究，亦可補六朝及唐正史之闕遺，及此期古籍之校勘也。茲表列其目如下：

卷1－35	神仙類	卷56－70	女仙類	卷71－75	道術類
卷76－80	方士類	卷81－86	異人類	卷87－98	異僧類
卷99－101	釋證類	卷102－134	報應類	卷135－145	徵應類
卷146－160	定數類	卷161－162	感應類	卷163	讖應類
卷164	名賢類	卷165	廉儉類	卷166－168	氣義類
卷169－170	知人類	卷171－172	精察類	卷173－174	俊辨類
卷174下－175	幼敏類	卷176－177	器量類	卷178－184	貢舉類
卷184	氏族類	卷185－186	銓選類	卷187	職官類
卷188	權倖類	卷189－190	將帥類	卷191－192	驍勇類
卷193－196	豪俠類	卷197	博物類	卷198－200	文章類
卷201	才名類	卷202	儒行類	卷203－205	樂　類
卷206－209	書　類	卷210－214	畫　類	卷215	算術類
卷216－217	卜筮類	卷218－220	醫　類	卷221－224	相　類
卷225－227	伎巧類	卷228	博戲類	卷229－232	器玩類
卷233	酒　類	卷234	食　類	卷235	交友類
卷236－237	奢侈類	卷238	詭詐類	卷239－241	諂佞類
卷242	謬誤類	卷243	治生類	卷244	褊急類
卷245－252	詼諧類	卷253－257	嘲誚類	卷258－262	嗤鄙
卷263－264	無賴類	卷265－266	輕薄類	卷267－269	酷暴類
卷270－273	婦人類	卷274	情感類	卷275	童僕奴婢類

卷276－282	夢　類	卷283	巫厭類	卷284－287	幻術類
卷288－290	妖妄類	卷291－315	神　類	卷316－355	鬼　類
卷356－357	夜叉類	卷358	神魂類	卷359－367	妖怪類
卷368－373	精怪類	卷374	靈異類	卷375－386	再生類
卷387－388	悟前生類	卷389－390	塚墓類	卷391－392	銘記類
卷393－395	雷　類	卷396	雨　類	卷397	山　類
卷398	石　類	卷399	水　類	卷400－405	寶　類
卷406－417	草木類	卷418－425	龍　類	卷426－433	虎　類
卷434－446	畜獸類	卷447－455	狐　類	卷456－459	蛇　類
卷460－463	禽獸類	卷464－472	水族類	卷473－479	昆蟲類
卷480－483	蠻夷類	卷484－492	雜傳記類	卷493－500	雜錄類

　　除可根據目錄檢索外，燕京大學引得編纂處的鄧嗣
禹曾編一部《太平廣記篇目及引書引得》，以便檢索。
是編引得分二部，其一篇目引得；其二引書引得。外附
〈太平廣記分類表〉、〈太平廣記未注出處卷條表〉
等。篇目引得，將書中子目，一一彙集，以庋纈檢字法
排列之。凡子目相同，散布於全書者，皆可引而得之。
引書引得，以卷名為主，凡《廣記》引某書若干條，某
條見某卷第幾條，皆依次排列，編於某書之下，每一書
名，編者皆略加考證，書其史志著錄，示其存亡。故凡

從事輯佚者，可省無限精力。按《廣記》一書，卷帙頗
繁，部居零亂，苟欲尋檢，費時良多，有此引得，為助
甚巨。外附筆畫檢字及拼音檢字，不諳庋纈檢字法者，
皆能利用。

六、玉海二百卷

　　宋王應麟撰，原為應考博學宏詞科而作，所以臚列
的條目，既是鉅典鴻章，所採錄的故實，亦為吉祥善
事。本書採錄古籍，包含經史子集，百家傳記，稗官小
說，全採摭焉。宋代掌故，則根據實錄、國史、日歷
等。編排門類分為二十一門，門下分二百四十餘子目。
此書類目如下表：

卷 1－5　　天文	卷 6－13　　律曆	卷 14－25　地理
卷 26－27　帝學	卷 28－34　聖文	卷 35－63　藝文
卷 64－67　詔令	卷 68－77　禮儀	卷 78－84　車服
卷 85－91　器用	卷 92－102 郊祀	卷 103－110音樂
卷 111－113學校	卷 114－118選舉	卷 119－135官制
卷 136－151兵制	卷 152－154朝貢	卷 155－175宮室

卷 176－186食貨	卷 187－194兵捷	卷 195－200祥瑞
卷 201－204辭學指南・附		

七、冊府元龜一千卷

宋王欽若・楊億等奉敕撰。王欽若等於景德二（1005）年受詔，編修歷代名臣事蹟，至祥符六（1013）年書成，改賜今名。書分三十一部，部有總序，又有子目一千一百四門，門有小序。摭採浩繁，而惟取六經子史，不錄小說，去取裁斷，極為嚴謹，其中紀五代事尤詳，凡詔令奏議，文字鄙俚，一仍其舊。其目如下表：

冊 1－3　　總　目	卷 1－181　　帝王部	卷 182－218　　閏位部
卷 219－234　偽僞部	卷 235－255列國君部	卷 256－261　儲宮部
卷 262－299　宗室部	卷 300－307　外戚部	卷 308－339　宰輔部
卷 340－456　將帥部	卷 457－482　臺省部	卷 483－511　邦計部
卷 512－522　憲官部	卷 523－549　諫諍部	卷 550－553　詞臣部
卷 554－562　國史部	卷 563－596　掌禮部	卷 597－608　學校部
卷 609－619　刑法部	卷 620－625　卿監部	卷 626－628　環衛部
卷 629－638　銓選部	卷 639－651　貢舉部	卷 652－664　奉使部

卷 665－670　內臣部	卷 671－700　牧守部	卷 701－707　令長部
卷 708－715　宮臣部	卷 716－730　幕府部	卷 731－750　陪臣部
卷 751－955　總錄部	卷 956－1000　外臣部	

　　陳鴻飛編了一部以筆畫檢索的《冊府元龜引得》，發表在《文華圖書館學季刊》5 卷一期。於檢索方面大有幫助。

八、古今圖書集成

　　清聖祖敕撰，蔣廷錫等奉世宗敕重編校。是書分六編，三十二典，六千餘部，一萬卷。每部之中，約分彙考、總論、圖表、列傳、藝文、選句、紀事、雜錄及外編諸目；無者闕之。彙考紀大事，大事有年月日可紀者，用編年之體，仿《綱目》立書法於前，而以「按某書某史」，詳錄於後；無年月可稽，或一事一物無關政典者，則列經史於前，而以子集參附于後。總論取經史子集之議論，擇其純正可行者錄之。圖表非每部皆繪列，大概圖用之於禽獸、草木、器用，表用之於星躔、宮度、紀元等部。藝文以詞藻為主，不擇立論之偏正；

選句多儷詞偶句，從全篇中，摘其單詞片語；紀事大者入於彙考，其瑣細亦有可傳者，則按時代列正史於前，而以一代之稗史子集附之。雜錄載論議之非大經大法，或非專論此事而旁及之；或集中所載，考究未精，難入於彙考；議論駁雜，難入於總論；文藻未工難收於於藝文者。至於外編，則荒唐無稽之詞，棄之恐遺掛漏之譏，故納於是編。在現在類書中，規模最大，用處最廣者。今因目錄浩繁，僅摘錄三十二典之函數、卷數於後，俾知其涯略。讀者欲知各典內容，請參閱凡例，其中細目，已擇要者編入引得，可為尋檢之助也。

函1－12　曆象彙編			
函1－2	乾象典　21部　100卷	函3－4	歲功典　43部　116卷
函5－8	曆法典　6部　140卷	函9－12	庶徵典　50部　188卷
函13－52　方輿彙編			
函13－15	坤輿典　21部　140卷	函16－43	職方典　223部1544卷
函44－49	山川典　401部　320卷	函50－52	邊裔典　542部　140卷
函53－100　明倫彙編			
函53－58	皇極典　31部　300卷	函59－60	宮闈典　15部　140卷
函61－76	官常典　65部　800卷	函77－78	家範典　31部　116卷
函79－80	交誼典　37部　120卷	函81－90	氏族典2694部　460卷

函91－92　人事典　97部　112卷	函93－100　閨媛典　17部　376卷
函101－136　博物彙編	
函101－118藝術典　43部　824卷	函119－126神異典　70部　320卷
函127－130禽鳥典　317部　192卷	函131－136草木典　700部　320卷
函137－162　理學彙編	
函137－146經濟典　66部　500卷	函147－152學行典　96部　300卷
函153－158文學典　49部　260卷	函159－162字學典　24部　160卷
函163－200　經濟彙編	
函163－165選舉典　29部　136卷	函166－167銓衡典　12部　120卷
函168－173食貨典　83部　160卷	函174－181禮儀典　70部　348卷
函182－184樂律典　46部　136卷	函185－190戎政典　30部　300卷
函191－194祥刑典　26部　180卷	函195－200考工典　154部　252卷

　　此書檢索，以台北文星書店所編索引最為詳盡，其
中有〈中文分類索引部首檢目表〉，為中文分類索引的
索引，將索引各部的字，依「字畫」、「部首」順序編
排，並注明在索引上的頁與欄數。

第四章　檢查十三經經文之書名篇名的工具書

一、十三經索引

　　此書葉紹鈞編，將十三經經文，逐句分割，按句首一字筆劃的多寡編次，每字之下，注明此句經文，出自何經、何篇、何章。其書名、篇名、章名則力求簡易，以省繁重。例如《毛詩・國風・周南・關雎》是書簡稱《詩・南・關》，卷首有檢字表及篇目簡表，極便檢查。這書編撰的目的，就是由於《十三經》卷帙浩繁，記誦不易，翻檢困難。得此一書，則凡《十三經》之經文，不論何句，都可隨手檢出，不必像前人一樣，純仗記憶。當我們讀書看到一些文句，不能確定它自何經？就可翻查《十三經索引》。例如我們讀到程天放〈孔子與教師節〉一文，其中一段云：

> 善問者如攻堅木，先其易者，後其節目。……善
> 待問者如撞鐘，叩之以小則小鳴，叩之以大則大
> 鳴。

我們想要知道「善問者如攻堅木」這一段出自何經？就可查閱《十三經索引》，根據此句首一字「善」字的筆劃，查檢字表，在十二畫可找到「善」字，下注一二九四頁，查《索引》一二九四頁，就有「善待問者如攻堅木」句。下注「禮、學、9」，就是說此句出自《禮記・學記》篇第九段。段落是根據開明書店《十三經》經文所分。此書係開明書局出版，臺灣開明書店有重印本發行。

二、群經引得

民國二十年（1931）至三十九年（1950），十九年當中，燕京大學哈佛燕京社曾編過六十多種古書引得。我現在為標題方便起見，把其中的《周易引得》、《毛詩引得》、《周禮引得》、《儀禮引得》、《禮記引得》、《春秋經傳引得》、《論語引得》、《孟子引

得》、《爾雅引得》等多種合稱為群經引得。這些引得，實際上是分書編撰的。他們的編次方法也不盡同。其中《周禮引得》、《儀禮引得》、《禮記引得》三種，是查書中重要辭彙的。辭彙的選擇，自然多出自于編者的主觀。但大玫以人名、地名、書名、職官名以及一切關於典章制度的專名為主。其選擇的方法，則「以一句為主，凡句中之名詞及較重要動詞與形容詞，皆為之引得。餘若虛字及聯繫辭詞等，則概從省略。」而《周易引得》、《毛詩引得》、《春秋經傳引得》、《論語引得》、《孟子引得》、《爾雅引得》等多種，則是逐字索引，以字標目，亦有間以詞為目的。這一類引得，較前類為翔實，且不須選目，編起來也較容易。且將虛字也立目，檢查起來，尤為方便。因此只要記得經文當中的任何一字，都可查出此句經文的出處。這些書的排列，一準「中國字庋纈」法，將中國字按其寫法分為五體，以印碼體（Ⅰ、Ⅱ、Ⅲ、Ⅳ、Ⅴ）標於書眉上，將字號碼綴於其下。引得以一句為主，逐字或辭為之，字或辭皆綴其原句，句中遇該字或辭，則以「○」代表之。

　　我們怎麼樣來利用這些書呢？例如我們讀到曾國藩

〈聖哲畫像圖記〉一文，其中有句云：「居易以俟命，下學而上達，仰不愧而俯不怍，樂也。」對於「仰不愧而俯不怍」一句，依稀記得是出自《孟子》，但不知出自何篇，它的原文與上下文是怎樣的？這時候就可查《孟子引得》，先查筆劃檢字：

> 六畫下有「仰」字，下注 V/90820
> 四畫下有「不」字，下注 I/70600
> 十三畫下有「愧」字，下注 V/60214
> 十畫下有「俯」字，下注 V/90030
> 八畫下有「怍」字，下注 V/60970

根據「仰」字下注的《引得》號碼，查《引得》V 90744－90932，在 90820 下有「仰」字，下注：

> ○不愧於天。52/7A/20

52 是所標經文的頁碼，7A 是七篇上，20 是二十章。查經文五十二頁，七篇盡心上二十章，可查得《孟子》原文為：

> 孟子曰：君子有三樂，而王天下不與存焉。父母

俱存，兄弟無故，一樂也。仰不愧於天，俯不怍
於人，二樂也。得天下英才而教之，三樂也。君
子有三樂，而王天下不與存焉。

如果根據「不」字所注《引得》號碼，在《引得》Ⅰ
/70600－70600 下，也可找到「不」字下注：

　　仰〇愧於天。52/7A/20
　　俯〇怍於人。52/7A/20

根據「愧」字《引得》號碼，在《引得》Ⅴ60112－
60772 下，有 60214「愧」字，下注：

　　仰不〇於天。52/7A/20

根據「俯」字《引得》號碼，在《引得》Ⅴ90012－
90110 下，有 90030「俯」字，下注：

　　〇不怍於人。52/7A/20

根據「怍」字《引得》號碼，在《引得》Ⅴ60911－
62222 下，有 60970「怍」字，下注：

俯不〇於人。52/7A/20

由上可知，只要根據經文中任何一字，都可查索得到所需經文。如果每字讀音的羅馬拼音熟悉，查拼音檢字，也同樣可以找到，拼音字母表按拉丁字母先後順序排列。例如「仰」字，羅馬拼音為 yang，在 yang 下也可以找到「仰」字，下注《引得》號碼為Ⅴ/90820。筆劃檢字便於國人檢索，拼音檢字則有利外人翻檢。

又例如我們常聽人說：「人誰無過，過而能改，善莫大焉。」但卻不知它的出處，出自什麼經典？這時候可在《春秋經傳引得》裏去查。（也許你要問，怎麼知道在《春秋經傳引得》裏去找呢？如果不知道，可就其中任何一字，例如「人」字，先從《周易引得》查起，查不到再查《毛詩引得》，以此類推。）根據「人」字的筆劃，在筆劃檢字二畫下，可以找到「人」字，下注Ⅰ/90000，查《引得》Ⅰ/90000 號「人」字下可找到：「〇誰無過」一句，下注 181/2/4 左。181 是《春秋經傳》頁碼，宣 2 是春秋魯宣公二年，4 左是第四段《左傳》文。

這些引得，在臺灣有成文書局翻印本，但價錢貴得

驚人，恐非一般人所購買得起。不過各大圖書館都有這套引得，查考還算方便。中華民國孔孟學會，為發揚孔孟學說，曾征得哈佛燕京社同意影印其中《論語引得》、《孟子引得》兩種引得，贈送該會會員，非會員亦可承購，索價低廉。

三、詩經索引

此書為陳宏天、呂嵐合編，書目文獻出版社 1984 年 3 月出版，此書乃《詩經》的逐字索引。無論根據《詩經》原文那一個字，都可以查到它的出處。索引前附有《詩經》的原文，原文的文字和分篇分章斷句，均以一九五五年文學古籍利行社影印的宋本朱熹注《詩集傳》為依據。凡與《詩集傳》有出入的異文，均在該字後加以標注，同時出一條索引樣讀者從異文中也可以查出該。如：

南有喬木，不可休息（思）

即表示此句有一種異文，「休息」又作「休思」。在後面索引「思」字下條下，列有：

不可休息（○）9/1

即是說〈漢廣〉（篇目編號為“9”）第一章載有此
句。

　　索引中，每個字頭前的數碼是四角號碼，字頭下為
含有該字的詩句，各句之後的數碼，為原文的篇數、章
數。如：

1212₇ 琇

　　　充耳○瑩　55/2

　　　充耳○實　225/3

即表示「琇」字四角號碼為“1212₇”，在第五十五篇
第二章有一句「充耳琇瑩」，第二百二十五篇第三章有
一句「充耳琇實」。據此處所示號碼，在原文中中可以
查出這兩句分別出自〈淇奧〉和〈都人士〉。

　　《詩經》中有不少重出的句子。凡在不同篇目中出
現，另加一條索引，凡在同一篇目不同章節出現，在同
條內加以注明。如：

　　哀我人斯　157/1,2,3

　　　　　　　192/3

即表示在〈破斧〉（篇目編號為 157）和〈正月〉（篇目編號為 192）均有此句。在〈破斧〉一篇中的一、二、三章均出現一次。

　　如果同一詩句在同一篇同一章中重出，就在該句篇章號後以中文數字加注。如：

　　帝謂文王　241/5, 7（二）

即表示〈皇矣〉（篇目編號為 241）的第五章有一句，第七章有兩句。

　　各篇題目也編入索引，但只標注篇目編號，在括號內注明「題」字。如：

　　中谷有蓷　69（題）

即表示「中谷有蓷」是第六十九篇的題目。

　　在四角號碼索引前，編有筆畫檢字表，不會四角號碼者，也可以利用此表查明四角號，再進行檢索。

第五章　檢查古今人名的工具書

一、總傳

㈠ 中國人名大辭典

　　是書為陸爾奎、臧勵龢等二十餘人共同編撰，民國十年由商務印書館出版。我國有人名之專書，始于明淩迪知的《萬姓統譜》及明廖用賢編的《尚友錄》。然皆訛誤迭出，甄錄甚隘，所收人名只限于賢良忠義之士，其元惡大憝，雖歷史上關係重大，也摒棄而不錄，簡陋草率，為世詬病。民國以來，我國人名辭典之編纂，其較完備者，當推商務此書。斯書經始於民國四年，歷時六載而底于成。斯書所錄人名，數逾四萬。起自上古，斷於清末。凡經史志乘及各家撰書金石文字所載之人名，無論賢奸，悉為採錄，古來之匈奴、渤海、回紇、

南詔、吐蕃之人，並加搜集。即其他經史所不載，而以著述書畫名家，或以工商醫卜各種藝術問世，以及仙釋婦女傭販屠沽之有軼事流傳者，悉為刊載。此書人名之排列，悉依姓氏之筆劃繁簡為次，其筆劃同者，則以部相從。此書後有附錄二：一為姓氏考略。于我國各族姓氏之來源作簡要之說明。二為異名表。以本書所收人之字型大小較慣用者為限，依異名之筆劃多少排列，欲查某別號為何人所有，甚為方便。

　　我們要如何利用此書呢？譬如我們讀到辛棄疾〈永遇樂·京口北固亭懷古〉：

　　　千古江山，英雄無覓、孫仲謀處。舞榭歌台，風流總被、雨打風吹去。斜陽草樹，尋常巷陌，人道寄奴曾住。想當年、金戈鐵馬，氣吞萬里如虎。

在這闋詞裏，用了兩個人名。一為孫仲謀，一為寄奴。先查異名表，「仲」字六畫，在六畫第九頁、第六欄可以找到。

仲謀「後漢」第五訪

　　　　「三國」吳大帝

再查檢字表，第三頁第一欄七畫下有「吳」字，下注三〇五頁，翻開辭典三〇五頁，有「吳」，三〇六頁第三欄有「吳大帝」一條。下注「三國」、「吳」。姓孫氏，名權，字仲謀，吳郡富春人。

　　異名表十一畫二十一頁第六欄有：

寄奴「南朝」宋武帝劉裕。

由此可知辛詞所謂仲謀為孫權，寄奴為劉裕。此書臺灣商務印書館有重印本。

㈡ **民國人物傳**

　　李新、孫思白主編。1978 年北京中華書局出版。此書根據《中華民國史資料叢稿──人物傳記》基礎修訂而成，分卷出版，每卷人物按政治、軍事、經濟、文化分類編排，如第十一卷彙輯孫中山等二十一人，袁世凱等十七人，張謇等十二人，康有為等十五人。此書受共黨思想影響，對民國人物不是純就歷史觀點評斷。（取材自《文史哲工具書簡介》600 頁。）

(三) 中國文學家大辭典

譚正璧編。民國二十三年上海光明書局出版。此書收錄自春秋戰國至民國十八年的中國文學家六千八百多人。姓名下注明字型大小、籍貫、生年、卒年（或在世時代）、歲數、性情、事蹟、著述等項。某項不明的就注明「不詳」或「無考」。某人如有可傳的韻事特行，名言集句也選擇收錄。凡各史文苑傳、藝文志、《四庫全書》或各家文學史中所收錄的人物著作，此書大都採錄，內容比較豐富。

全書按照時代排列，書末有按筆劃為序的索引，姓名下注明頁數，以便查索。（取材自《文史哲工具書簡介》602 頁。）

(四) 中國美術家人名辭典

本書搜集之範圍，包括歷代書家、畫家、篆刻家、建築家、雕塑家以及各種工藝美術家，其中以書畫篆刻，文獻豐富，故人數最多。美術家之生卒年及其籍貫均加以搜集，其里籍若有可考，均明今地。其不易查考者，則仍沿用舊名。本書編排方法，以筆畫數目為準，一姓之中，再以第二字之筆畫多少順序排列。因為藝術家，每多用別名、字號、諡號、齋名、郡望等為稱，為

便於檢查起見，本書另編有《中國美術家人名辭典異名索引表》，附於本書之後，以便檢索。

我們要怎樣來利用此書呢？例如我們讀《蘇文忠公詩編註集成》至〈次韻韶守狄大夫見贈二首〉之一云：

> 華髮蕭蕭老遂良。一身萍挂海中央。無錢種菜為家業，有病安心是藥方。才疎正類孔文舉，癡絕還同顧長康。萬里歸來空泣血，七年供奉殿西廊。

我們想要知道顧長康是何人？可先查《中國美術家人名辭典》檢字表，二一畫有「顧」字，下註 1531，查《中國美術家人名辭典索引》二一畫顧九烟起，一連串出現顧姓美術家的人名，沒有顧長康其人，我們再查卷末所附《中國美術家人名辭典字號異名索引》在八畫下有「長康」，下注「顧愷之」，「一五四四」則顧長康是顧愷之異名，顧愷之在《中國美術家人名辭典》第一五四四頁最上一欄，有：

顧愷之（346-407）一作（348-409），姜亮夫

〈長康疑年考〉作（341-402）。今從《宋元明清書畫家年表》。〔晉〕字長康，小名虎頭。晉陵無錫（今江蘇無錫）人。義熙中為散騎常侍。博學有才氣，工詩賦，尤善丹青。師於衛協，筆法如春蠶吐絲，初見甚平易，且虧形似，細視之六法兼備，傅染以濃色微加點綴，不暈飾，運思精微，襟靈莫測。雖寄迹翰墨，其神氣飄然，在煙宵之上，不可以畫間求，象人之美，張（僧繇）得其肉，陸（探微）得其骨，顧得其神。神妙無方，以顧為最。謝安深重之，以為有蒼生以來，未之有也。愷之每畫人成，或數年不點目睛，人問其故。答曰：「四體妍蚩，本無關於妙處，傳神寫照，正在阿堵中。」愷之每重嵇康四言詩，因為之圖，恒云：「手揮五絃易，目送歸鴻難。」每寫人形，妙絕於時。嘗圖裴楷像，頰上加三毛，觀者覺神明殊勝。又為謝鯤像在石巖裏。云：「此子宜置丘壑中。」欲圖殷仲堪，有目病，固辭。愷之曰：「明府正為眼爾，若明點瞳子，飛白拂上，使如輕雲之蔽月，豈不美乎！」嘗以一廚畫糊題寄桓玄，玄竊取畫廚紿云：「未開。」愷之直云：「妙畫通靈，變化而去，亦

猶人之登仙。」了無怪色，故俗傳愷之有三絕：才
絕、畫絕、癡絕。興寧中瓦官寺初置。僧眾設會，
請朝賢鳴剎注疏。其時士大夫莫有過十萬者，既至
愷之，直打剎注百萬。愷之素貧，眾以為大言。後
寺眾請勾疏，愷之曰：「宜備一壁。」遂閉戶往來
一月餘，所畫維摩詰一軀，工畢，將欲點眸子。乃
謂寺僧曰：「第一日觀者請施十萬，第二日可五
萬，第三日可任例責施。」及開戶，光照一寺，施
者填咽，俄而得百萬錢。嘗畫中興帝相列像，妙極
一時。著〈魏晉名臣畫贊〉，評量甚多。又有論畫
一篇，皆摹寫要法。又有畫雲台山記，市異獸、古
人圖、桓溫像、桓玄像、蘇門先生像、中朝名士
圖、謝安像、阿谷處女扇畫、招隱鵝鵠圖、筍圖、
王安期像、列女仙（白麻紙）、三獅子、晉帝相列
像、阮脩像、阮咸像、十一頭獅子（白麻紙）、司
馬宣王像（一素一紙）、劉牢之像、虎豹雜鷙鳥
圖、廬山會圖、水府圖、司馬宣王並魏二太子像、
鳧鴈水鳥圖、列仙畫、木鴈圖、三天女圖、行三龍
圖、緝六幅圖、山水、古賢、榮啟期夫子、沅湘並
水鳥屏風、桂陽王美人圖、蕩舟圖、七賢、陳思王

詩，並傳於後代。亦善書，戲鴻堂帖目有其女史箴
真蹟十二行。卒年六十二。著文集及《啟蒙記》。

末著錄資料來源之典冊名稱。茲錄於後：《晉書・本
傳》、《古畫品錄》、《續畫品錄》、《畫史》、《畫
繼》、《書斷》、《歷代名畫記》、《貞觀公私畫
史》、《宣和畫譜》、《東圖玄覽》、《廣川畫跋》。

二、別名

㈠ 室名索引

此書為民國陳乃乾編，陳氏以中國文人每多別署，
或用某齋、某樓，或作山人、居士，竟有一人而異名多
至數十者，偶舉一名，頗難知其姓氏。陳氏此書搜集室
名約五千餘條，依筆劃多寡排列，每條將其姓名、時代
錄出，書前有檢字表，書後有補遺。本來居處有名，其
源甚古，帝王殿台，豪室園囿，肇錫嘉名，自先秦已有
征信。至士君子研經治事之齋，迨及宋世，始聞榜額，
流風所被，漸漬益繁，往往有一名而數人所共。例如
「萬卷樓」一名，竟為宋莆田方翥、宋長州張用道、明

方作謀、明閩縣陳朝鐵、明秀水項篤壽、明鄞縣曹坊、
明南充陳於陛、清大興黃叔琳、清郁文博、清楊夢羽等
十一人之所同。亦有數名為一人所有者，例如玉蘭堂、
辛夷館、翠竹齋、梅華屋、煙蘇館、晤言室、梅溪精舍
等七名皆為明長洲文徵明一人所有。若斯之類，設無索
引，則於名號，必多疑慮。例如我們讀《老殘遊記·第
八回》：

> 滄葦遵王士禮居，藝芸精舍四家書。一齊歸入東
> 昌府，清鎖娜嬛飽蠹魚。

士禮居、藝芸精舍究為何人的室名？先查檢字，「士」
字三畫，查三畫處有士，九。再翻查索引第九頁即得：

士禮居：清吳縣黃丕烈。

「藝」字十九畫，查十九畫處有藝，二〇八。翻索引二
〇八頁即得：

藝芸精舍：清長洲汪士鍾。

由此得知士禮居為黃丕烈之室名，藝芸精舍為汪士鍾的

室名。此書民國二十二（1933）年由開明書局出版，在臺灣有世界書局重印本，但易名為《別署居處名通檢》。民國五十七（1968）年十一月再版。

㈡ 別號索引

民國陳乃乾編。陳氏以為古時的人，生而有名，及冠則為之諱，而有字、有號、更有別號。宋元以後，浸而滋盛，有一人之號，多達數十者。例如黃丕烈的別號，就有「小千頃堂主人」、「半恕道人」、「求古居士」、「見復生」、「民山山民」、「見獨學人」、「佞宋主人」、「抱守老人」、「宋麈翁」、「知非子」、「長吾子」、「負嶠主人」、「循初民」、「復見心翁」、「獨樹逸翁」、「碁圃主人」、「龜巢主人」……等數十個多，而每一別號又往往自二字至二十餘字不等。陳氏此書乃採取名人別號五千餘條，注明其時代、姓名、籍貫，體例與《室名索引》相同。例如我們讀到：「南嶽七十二峯樵父以畫著稱于時。」想知道南嶽七十二峯樵父是甚麼人？我們就可以查《別號索引》，先查「南」字九畫・五五，再翻查索引五十五頁，即可查得：

南嶽七十二峯樵父……清衡陽彭玉慶。

又例如讀到：「鍾峯白蓮居士以詞著稱。」查檢字「鍾」字十七畫‧一一七，再翻索引一一七頁，即可查得：

鍾峰白蓮居士……南唐李煜。

此書由門明書店在民國廿五（1936）年印行。

㈢ 古今人物別名索引

　　民國陳德芸編。陳氏剌取古今人之別名、原名、字型大小、謚法、爵里稱謂、齋舍自署、帝王廟號逐一表列，共得七萬零二百條，費時三年餘，都六十餘萬言。是書編排次序，則依德芸字典「橫、直、點、撇、曲、捺、趯」七種筆順為序，每字按其筆順，皆由首筆計至末筆。所收古今人物，若書報中有其著作，有其別名，則一律采入。否則，雖重要人物，亦反而見遺。是書所列，如：少陵＝杜甫（唐），少陵為別名，杜甫為原名，原名條內，兼載姓氏。別名則不著姓。但無別名原名，至少以兩字為限。是以別名條內，如遇有單名，亦兼載其姓。是書前有凡例，述其體例甚詳。例如我們讀

王勃〈秋晚入洛于畢公宅別道王宴序〉一文，讀到「夏
仲御之浮舟，願乘春水；張季鷹之命駕，思動秋風。」
我們想知道夏仲御跟張季鷹是甚麼人？就可以查《古今
人物別名索引》。先查目錄，陳氏所編的目錄，也是以
筆順編的，假定 1234567 字作為筆劃號碼，則 1 為橫、
2 為直、3 為點、4 為撇、5 為曲、6 為捺、7 為趯。此
七號碼加於檢目棋直點撇曲捺趯之上，以助記憶，但限
於首五筆號碼。例如「仲」字筆順首五筆為撇直直曲
橫，則其檢號為 42251，查目錄檢號 42251 撇直直曲橫
直下有「仲」字，下注 415 左－424 右；588 右；590
右。那是說「仲」字在《古今人物索引》415 頁左起至
424 頁右止；又在補遺 588 頁之右及續補遺 590 頁之
左。在 423 頁之中可以找到：

　　仲御＝夏統（晉）
　　仲御＝周鑣（明）

由此可知，夏仲御就是晉夏統。

　　「季」字的筆順首五筆為撇橫直撇點，其檢號應為
41243，查目錄檢號 41243 撇橫直點曲直下有「季」
字，下注：394 右－397 中；588 中，我們在 395 頁之

右可找到：

　　季鷹＝嚴武（唐）

　　季鷹＝施翰（明）

　　季鷹＝張翰（晉）

王勃文中的季鷹，自然是指的晉代張翰了。

　　陳氏此書成於民國廿五年，在臺灣藝文印書館有影印本問世。

第六章　檢查古今地名的工具書

一、中國古今地名大辭典

　　是書由臧勵龢、謝壽昌等八人編輯，商務印書館民國二十年出版，編纂歷時近十年。所錄地名，約計四萬餘條。上起遠古，下迄現代，凡我國地名有為檢查所必需者，均參考群書，調查甄錄，于古地名則詳其沿革，於今地名則著其形要，上下縱橫，今古悉備。凡古今地名及及省府郡縣、鎮堡、山川之屬，要塞、鐵路、港埠之名，名勝、古跡、寺園之類，悉加甄錄。搜羅之富，遠非北平研究院出版部發行之《中國地名大辭典》所可企及。此書之地名，係依其首字筆劃之多寡為次，甚便檢查。計正文 1410 頁，補遺 11 頁，附錄有行政區域表、全國鐵路表、各縣異名表。首列檢字表，篇末附四

角號碼索引。民國四十九年六月臺灣商務印書館重印時，陳正祥氏又搜羅臺灣省地名為之續編，計 117 頁。我們如何利用此書呢？例如我們讀《三國志・王粲傳》：

「王粲、字仲宣。山陽高平人也。」

王粲是漢山陽郡的高平縣人，但我們想知道「山陽」跟「高平」是現在的什麼地方？就可查《中國古今地名大辭典》。先查檢字表，三畫後有「山」字，下注九四，此表明以「山」字為辭頭的地名，從字典九十四頁開始，在九十七頁第二欄有「山陽郡」一條如下：

[山陽郡] 漢置，晉改為高平國，故治在今山東省金鄉縣西北四十里。⊙晉置，隋廢，即今江蘇淮安縣治。

又「高」字十畫，檢字表十畫後有「高」字，下注七七一，以「高」字為辭頭的地名，從辭典七七一頁開始，在七七二頁第一欄有「高平縣」一條如下：

[高平縣]漢侯國，後漢省，故城在今安徽盱眙縣北。⊙漢置，北周改名平高，即今甘肅固原縣治。⊙漢置橐縣，後漢更置高平侯國，南朝宋時移高平郡來治。北齊郡縣俱廢，故城在今山東鄒縣西南。⊙三國吳置，晉改南高平，尋復故，南朝梁省，故治在今湖南新化縣西南百里永寧鄉，地名石腳，故址猶存。⊙南朝宋置，南齊因之，今闕，當在江蘇境。⊙後魏置，今闕，當在河南潢縣境。⊙後魏置，故城在今山西高平縣西北二十里。北齊徙置泫氏故城，即今治。清屬山凱撒州府。今屬山西冀寧道。五代時，北漢劉崇乘周太祖之喪，約契丹攻周，自將陣高平，周世宗拒之，自率親兵，冒矢石督陣，漢軍大敗。⊙南朝梁僑置高平郡及東平、陽平、清河、歸義四郡。東魏並四郡置高平縣，隋改高平縣曰徐城，故城在今安徽盱眙縣西北八十一里。

根據《地名大辭典》「山陽郡」與「高平縣」兩條作一綜合研判，很容易可確定漢代山陽郡的高平縣，當在今山東省鄒縣西南。

又如我們讀章太炎〈祭孫公文〉云：

「汪是大國，古之丹陽。」

「丹」字四畫，查檢字表，四畫後有「丹」字，下注一〇七。以「丹」字為辭頭的地名，從辭典一〇七頁開始，在一〇九頁，有「丹陽郡」一條云：

[山陽郡] 漢置，治宛城，即今安徽宣城縣。⊙三國吳移置，孫權以呂范為丹陽太守，治建業。故城在今江蘇省江甯縣東南五里。⊙後魏置，北齊廢，故城在今河南項城縣東北。⊙隋置，唐廢，即今江蘇江寧縣治。

章太炎先生祭孫公文，乃北伐成功之後，國民政府奠都南京後，恭迎國父靈櫬，奉安於紫金山麓之時所作。此文中之丹陽，自然指江甯而言，江寧今劃入南京市。此書在臺灣，有商務印書館重印本。

二、讀史方輿紀要

　　是書為清顧祖禹著，祖禹字景範，江蘇無錫人。清世祖順治十六年（1659），景範年二十九，創為《讀史方輿紀要》，至清聖祖康熙十七年（1678），景範四十八歲，全書告成，後仍有增益，前後近二十年，成書一百三十五卷，正編一百三十卷，附錄輿圖要覽四卷，序例一卷。正編一百三十卷中，首九卷州域形勢係總論，學者一展卷，而疆域之分合，形勢之輕重，了然於心，然後可以條分縷析，隨處貫通。餘一百十四卷分省紀要。最後七卷，六卷專言河渠水利，一卷言天文分野。（見張其昀〈重印讀史方輿紀要序〉）至其所以如此編次之理，則凡例云：

> 天下之形勢，視乎山川，山川之絕，關乎都邑，然不考古今，無以見因革之變；不綜源委，無以識形勢之全。是書首以歷代州域形勢，先考鏡也。次之以北直，尊王畿也，次以山東山西，為京室之夾輔也，次以河南陝西，重形勝也，次之以四川湖廣，急上游也，次之以江西浙江，東南

財賦所聚也，次以福建廣東廣西雲南貴州，自北而南，聲教所所為遠暨也，又次以川瀆異同，昭九州之脈絡也，終之以分野，庶幾俯察仰觀之義與！

至其取名，則曰：

地道靜而有恆，故曰方，博而職載，故曰輿。然其高下險夷，剛柔燥濕之繁變，不勝書也，人事之廢興損益，圮築穿塞之不齊，不勝書也。名號屢更，新舊錯出，事會滋多，昨無今有，故詳不勝詳者，莫過於方輿。是書以古今之方輿，衷之于史，即以古今之史，質之于方輿，史其方輿之鄉導乎！方輿其史之圖籍乎！苟無當于史，史之所載，不盡合于方輿者，不敢濫登也，故曰《讀史方輿紀要》。

其書取材，遠竟禹貢職方之紀，近采歷朝正史之文，旁及稗官野乘之說，實為我國第一部最具系統、最為翔實之沿革地理。誠如張曉峰先生〈重印序〉所云：「《讀

史方輿紀要》一書為吾國規模最大，亦最有系統國防地理之名著。」

　　吾人當如何利用此書？因此為專書而非辭典，除目錄外，未有索引❶。此書既重沿革敘述，則於志名之沿革有所不明時，查斯書可得其詳。例如上一節所舉章太炎先生〈祭孫公文〉所言之「丹陽」，雖知屬江甯，於其沿革，則有未詳。查目次卷二十，江南二、應天府（按卷內改江寧府）。查卷二十、江南二、有江寧府。言其界域與沿革甚詳。茲錄於下：

> **江甯府**　東北至鎮江府二百里，西南至太平府一百三十五里，西至和州一百三十里，西北至滁州一百四十五里，東北至揚州二百二十里，至京師二千五百五十里。
>
> 禹貢揚州之域，春秋時吳地。舊志云：《左傳》長岸地也。按昭十七年吳伐楚，司馬子魚戰於長岸，大敗吳師，獲其乘舟餘皇。杜氏曰：長岸、楚地。或以為在今庶為州演江，此不言所在之地，蓋傳疑耳。戰國屬越，後屬楚，

---

❶　日本有人編《讀史方輿紀要索引‧中國歷代地名索引》，按日文字母排列，新興書局有影印本，與《讀史方輿紀要》同時發售。

楚威王初置金陵邑。相傳因地有王氣，埋金鎮之故名。秦改曰秣陵，屬鄣郡。漢初屬荊國，後屬吳，又屬江都國，元封初，屬丹陽郡。丹陽關自句容以西屬鄣郡，以東屬會稽郡，元封二年，始改鄣郡為丹陽。後漢因之，孫吳自京口徙都此，改秣陵曰建業。建安十六年孫權所改。晉平吳，移置丹陽郡，兼置揚州治焉。時改建業曰建鄴。元帝都建業，建興初，避湣帝諱，又改建鄴曰建康。改丹陽太守為尹，宋齊梁陳因之，隋平陳，郡廢，於石頭城置蔣州，大業三年復曰丹陽郡，唐武德三年置揚州，七年改為蔣州，八年復為揚州，置大都督府，九年，揚州移治江都。以金陵諸邑分屬宣潤二州。至德二載置江寧郡，乾元元年改為升州。時又置浙西節度使治焉。上元初，州廢，大順元年，復置。唐末，楊氏於升州建大都督府，五代梁貞明三年，徐溫徙鎮海軍治升州，六年改為金陵府，石晉天福二年，南唐李氏都之，改為江寧府。謂之西都，而以江都為東都。宋復為升州，天禧二年，升為江寧府建康軍節度。仁宗初封升王也。建炎三年，改為建康府。時有都置行宮留守。元為建康路，至元二十三年，自杭州移江南諸道行御史台治此。天

曆二年，改為集慶路。元史雲以文宗潛邸故也。明初
定都於此，曰應天府，領縣八，今改為江寧府。

　　從上段說明，則「江寧」一地，從夏代到清代之地
理沿革，已十分了然矣。則章太炎先生所言「古之丹
陽」之古，當指漢代因為漢代始置丹陽郡。此書在臺灣
有新興書局之影印本，前有張曉峰先生〈重印讀史方輿
紀要序〉，於此書之價值、內容及顧氏撰著之緣起與精
神，皆作詳盡說明，可作為此書之導讀。我認為在大學
中，文、史、地三系學生，應列為必修讀物。走筆至
此，使我想起電視上有關中國史地問題測驗，多數觀眾
皆瞠目不知所對，生為中國人，于中國史地如此陌生無
知，豈不愧煞！為使大學生對中國歷史地理不再陌生，
我建議各生，在歷史方面，應把司馬光《資治通鑒》閱
讀一遍，在地理方面，則應把顧祖禹《讀史方輿紀要》
閱讀一遍。這二者且應加以配合，因為「不知地理無以
讀史，不讀史亦無以明地理」也。

第七章 檢查歷代名人生卒之工具書

一、歷代名人年譜

　　此書為清吳榮光編，乃檢查歷代名人之生卒年歲，與歷朝大事之工具書。此書起自漢高祖元年，迄于清道光二十三年，區分類聚，剖為十卷，末附存疑及生卒年月之無考者一卷，其書每年首紀「干支」，所謂「時以繫事」者也。次為「紀年」，掇舉帝紀之要，舉凡國號、帝號、帝名、陵名及偏安帝號，皆在其中，又次為「時事」，則薈萃史家列傳載記之言，芟繁就簡，約而為之，末乃繫以名人「生卒」，詳其年月及諡法、爵號。前後編次若網在綱，真所謂「繁而不雜，略而不滲」者也。表列詳明，檢閱甚便，茲錄其首兩頁年表以見體例。

歷代名人年譜　卷一

	紀　年	時　　事	生　卒
乙未	前漢 漢高帝元年 　名邦○諱邦曰國○葬 　長陵 楚義帝元年 西楚霸王元年	冬十月。沛公至霸上。 入咸陽。蕭何先入秦丞 相府，收圖籍藏之。○ 沛公與父老約法三章。 ○項籍詐坑秦降卒二十 萬於新安。○四月，漢 以蕭何為丞相。遣張良 歸韓。○七月，西楚殺 韓王成。張良復歸漢。	
丙申	漢二年 　是年閏月乙亥朔。○ 　自太初未改曆以前， 　閏皆在歲末，謂之後 　九月。 楚二年。 西楚二年。	十月，西楚霸王項籍弒 義帝于江中。○十一 月，漢立韓王孫信為韓 王。三月，漢以陳平為 護軍中尉。○漢王至洛 陽，為義帝發喪。○四 月，項籍破漢軍。以漢 太公呂後歸。○漢王遣 隨何使九江。○漢以韓 信為左丞相。	
丁酉	漢三年。 西楚三年	○十二月，隨何以九江 王黥布歸漢。○漢遣酈 食其立六國後，未行而 罷。	陳餘卒。
戊戌	漢四年 西楚四年	四月，楚圍漢王于滎 陽，亞父范增死。（年 七十二。生於周赧王四	

		十年丙戌。）○漢王遣酈食其說齊下之。	
己辛	漢五年。　是年四月戊子朔。西楚五年。	十月，漢韓信襲破齊，齊王烹酈食其，走高密。○七月，漢立黥布為淮南王。○八月，漢初為算賦。○漢以周昌為御史大夫。	
庚子	漢六年。	二月甲午，漢王即皇帝位於氾水之陽。○以季布為郎中。○以齊人婁敬說，遷都長安。拜敬郎，號奉春君，賜姓劉。○張良謝病辟穀。○後九月，始築長樂宮。	西楚霸王項籍卒於十月。（年三十一，生於秦始皇十五年己巳。）張耳卒於七月。田橫卒。
辛丑	七年。	始剖符封功臣。○征魯諸生三十餘人。○曹參為齊相國。○令博士叔孫通起朝儀。五月丙午，張師帶鉤。	
壬寅	八年。是年閏月庚子朔。	○十月，長樂宮成。○封陳平為曲逆侯。二月，帝至長安。始定徙都。○置正宗官。	劉朱虛侯章生。公孫宏生。賈長沙誼生。

我們如何利用此書呢？例如：我們讀到胡適〈戴東原的哲學〉一文（見《國學季刊》第二卷第一號。）云：

　　　　他是當日的科學家，精于算數曆象之學，深知天
　　　　體的運行皆有常度，皆有條理，可以測算，所以
　　　　他的宇宙觀也頗帶一點科學色彩，雖然說的不詳
　　　　不備，究竟不愧為梅文鼎、江永、錢大昕的時代
　　　　的宇宙論。

我們想知道梅文鼎、江永、錢大昕是什麼時代的人，這
時可查《歷代名人年譜》了，我們在卷九明莊烈帝崇禎
六年癸酉「生卒」欄下，可查得「梅定九文鼎生」，卷
十清康熙二十年辛酉「生卒」欄下，查得「江慎修永生
於七月十七日」，卷十清雍正元年癸卯「生卒」欄下，
查得「戴東原震生於十二月」，雍正六年戊申下，查得
「錢曉徵大昕生」；又卷十康熙六十年辛丑下，查得
「梅定九卒（年八十九）」乾隆二十七年壬午下，查得
「江慎修卒。（年八十二）」，乾隆四十二年丁酉下，
查得「戴東原卒於五月（年五十五）」，嘉慶九年甲子
下，查得「錢曉徵卒（年七十七）。」根據以上資料，
我們可以列出一表如下：

姓　　名	生　　年	卒　　年	年　齡
梅文鼎	明崇禎六年	清康熙六十年	八十九歲
江　永	清康熙二十年	清乾隆二十七年	八十二歲
戴　震	清雍正元年	清乾隆四十二年	五十五歲
錢大昕	清雍正六年	清嘉慶九年	七十七歲

從上表可知，最早的是梅文鼎的生年，最晚的是錢大昕的卒年。那末胡適文中所指梅文鼎、江永、錢大昕的時代，應該最早不超過明崇禎六年（西元 1633），最晚不遲於清嘉慶九年（西元 1804），大概指的是清代康熙、雍正、乾隆三世的時代。此書在臺灣有商務印書館重印國學基本叢書本。

二、歷代名人年里碑傳總表

　　此書為姜亮夫編。姜氏此書將歷代名人字型大小、籍貫、年歲及其生卒年代列為總表，以時代先後為序。並附「帝王」、「閨秀」、「釋道」三表，凡一萬二千餘人。所據材料除一部分錄自錢大昕《疑年錄》、吳修《續疑年錄》、錢椒《補疑年錄》、陸心源《三續疑年

錄》、張鳴珂《疑年賡錄》、閔爾昌《五續疑年錄》、張惟驤《疑年錄彙編》等書之外，其餘由著者所贈諸人，多采自漢唐以來各家文集中之碑傳，以及雜史金石筆記之屬，皆於備考欄中一一注明，以便參考。書末附名人姓名四角號碼索引，及名人姓氏筆劃索引，書前有引用書目。此書所收名人較梁廷燦《歷代名人生卒年表》及錢、吳諸氏之《疑年錄》多數倍，同類之書，此最詳備。但《疑年錄》有考證之處，此書略之，故《疑年錄》仍可並存也。

　　吾人當如何利用此書？例如當吾人讀庾信〈哀江南賦序〉：「昔桓君山之志事，杜元凱之生平，並有著書，咸能自序。潘岳之文采，始述家風；陸機之辭賦，先陳世德。」在此一段文字中，加上作者，共有五個人名，想知此五人是何等人？此時即可查《歷代名人年里碑傳總表》。如何查？若查庾信，可先查《歷代名人年里碑傳總表》末附名人姓氏筆劃索引。「庾」字十二畫，在索引十二畫广部有「庾」字，四角號碼為0023_7，頁碼1。查《歷代名人年里碑傳總表》索引第1頁 0023_7 庾字下有「庾信」，後注 67，查總表六十七頁，於第三行得：

姓名	字	籍貫	歲數	生年							卒年							備考
				國號	帝號	年號	年數	干支	西元	民元前	國號	帝號	年號	年數	干支	西元	民元前	
庾信	子山	南陽新野	六九	梁	武帝	天監	一二	癸巳	513	1399	周	靜帝	大象	三	辛丑	581	1331	

桓君山就是桓譚,「桓」字十畫,在筆劃索引木部有「桓」字,四角號碼為 4191_6,頁碼 24。查總表索引 24 頁 4191_6 桓字下有「桓譚」後注 10,查總表十頁,第七行為:

桓譚	君山	相	七〇餘	漢		甘露	初元間				漢	光武帝	建武中元	元	丙辰	前56	1856	後漢書卷五十八上

杜元凱就是杜預,「杜」字七畫,在筆劃索引七畫木部有「杜」,四角號碼為 4491_0,頁碼 28 查總表索引 28,頁 4491_0,杜字下有「杜預」,後注 35,查總表三十五頁,於第八行得:

杜預	元凱	杜陵	六三	魏	文帝	黃初	三	王寅	222	1690	晉	武帝	太康	五	甲辰	284	166	三國志卷十六附魏書杜畿傳

「潘」字十五畫，筆劃索引十五畫水部有「潘」字，四角號碼為 3216_9，頁碼 18，查總表索引 18 頁，3216_9，潘字下有「潘嶽」，後注 43，查總表四十三頁，于第十一行得：

潘嶽	安仁	中牟									晉	惠帝	永康	元	庚申	300	1612	晉書卷五十五

「陸」字十一畫，在筆劃索引十一畫阜部有「陸」字，四角號碼為 7421_4，頁碼 36，查總表索引 36 頁 7421_4，陸字下有「陸機」後注 39，查總表三十九頁，於第五行得：

陸機	士衡	吳郡	四三	晉	景帝	永安	四	辛巳	261	1651	晉	惠帝	泰安	二	癸亥	303	1609	晉書卷五十四

　　如果四角號碼很熟，就可省去查筆劃索引這一步，而可直接查歷代年里碑傳總表索引。此書在臺灣有商務印書館五十四年增訂重版本，重版本由楊本章氏補錄民國二十五年下半年至五十三年底逝世之名人。楊氏所補未標干支紀年及西元年號，如需干支紀年及西元年號，用時尚須換算。

第八章　檢查某人是否正史有傳的工具書

一、二十五史人名索引

　　此書為開明書店二十五史編纂執行委員會編。蓋以二十五史為我國史冊之總結集，其中所函人名，真是浩如煙海，有一人而名號歧出，有兩人而隔世同名，甚且有並時同名而了不相涉者。若無條分綜貫之方，讀史者將何從探索古人于杳冥蒼茫之際，以為尚友之資乎！清人汪輝祖氏之《史姓韻編》，實操炬火而導夫先路，然其書止限於二十四史，且不識帝王後妃及外國諸傳人名，其排列之方式，又一以時代為序，隔世同名者，即無緣彙列，校其同異，而編次悉依舊有之韻目，在今日檢查殊為不便。故二十五史編纂執行委員會，在輯印二十五史的時候，就開始發凡起例，欲編制人名索引，以

彌補汪書之缺憾。

二十五史人名索引，是專備檢查開明版二十五史裏的人名用的，但備有舊本十七史、二十一史、二十四史和新元史的，也可以用這索引去檢查。凡二十五史中本紀、世家、列傳和載記裏的人物，全收在這索引裏面；沒有專載而只附見的，也大都收入。人名的編排，依照王雲五氏「四角號碼檢字法」，凡是不曾留心過「四角號碼檢字法」的，在後面另外還附有「筆劃索引」。可以從這索引來查知各人名首字的四角號碼。各史的名稱，在索引裏為省繁重，統用符號代表。列舉於後：

史＝史記　　漢＝漢書　　㷭＝後漢書　　三＝三國志　　晉＝晉書　　宋＝宋書　　南齊＝南齊書　　梁＝梁書　　陳＝陳書　　魏＝魏書　　北齊＝北齊書　　周＝周書　　隋＝隋書　　南史＝南史　　北史＝北史　　唐＝唐書　　糖＝新唐書　　五＝五代史　　甀＝新五代史　　宋＝宋史　　遼＝遼史　　金＝金史　　元＝元史　　新＝新元史

明 ＝明史

緊接在各史符號後面的數目字，就是各史的卷數，例如 漢 106 就是表明這個人在《後漢書》的一百零六卷。卷數以下的數目字是開明版二十五史的總頁碼和欄數。如「0871.3」就是表明這個人在全書第八百七十一頁第三欄。如果一個人見於兩書以上的，就記載兩書以上的名稱、卷數以及兩個以上的總頁碼和欄數。如果一個人在一書裏有兩個以上不同的名字的，如《史記》中的武靈王[趙]，又叫主父；而取較普通的名字記載史名、卷數、頁碼，另外的名字則用等號來表明。如武靈王[趙]條下，排作「武靈王[趙] 史 43 0151.4」，而在主父條下，則排作「主父＝武靈王[趙]」。又如果一個人在兩書以上有兩個以上不同的名字，如《史記》中的袁盎，《漢書》叫作爰盎，則用等號來互見。如：

袁盎條下排作：袁盎 史 101 0232.1

　　　　　　　（＝爰盎）

爰盎條下排作：爰盎 漢 19 0477.3

　　　　　　　（＝袁盎）

我們要怎樣來利用此書呢？例如我們讀到丘遲〈與陳伯之書〉：「朱鮪涉血於友于，張繡剚刃於愛子。漢主不以為疑，魏君待之若舊。」我們想知道丘遲、陳伯之、朱鮪、張繡等人在正史裏是否有他們的傳？這時候就可以查閱《二十五史人名索引》了，如何查法？先在索引後的「筆劃索引」裏查所要人名的第一字的筆劃。例如「丘遲」，先在「筆劃索引」查「丘」字，五畫有「丘」字，下注 7210_1 **446**。7210_1 是「丘」字的四角號，**446** 是索引的頁碼。查索引四四六頁，7210_1 丘字下有：

~遲 梁 **49** 1830.1

　　南史 **72** 2713.2

那就是說丘遲的傳見於《梁書》四十九卷，開明版二十五史的一千八百三十頁的第一欄，《南史》七十二卷，開明版二十五史的二千七百一十三頁的第二欄。

又如「陳伯之」，先查「筆劃索引」十一畫下有「陳」字，下注 7529_6 **450**，查索引四百五十頁 7529 陳字下有：

~伯之 梁 **20** 1793.8

　　　　魏 **61** 2039.2

　　　　南史 **61** 2687.2

陳伯之的傳見於《梁書》二十卷，開明版二十五史的一千七百九十三頁第三欄，《魏書》六十一卷，開明版二十五史的二千零三十九頁第二欄，《南史》六十一卷，開明版二十五史二千六百八十七頁第二欄。

　　如果我們沒有開明版二十五史，而是其他版本的二十五史或二十四史，那麼就只須知道正史的名稱與卷數就可以了。下面的頁碼與欄數就不必管它了。例如「朱鮪」，先查筆畫索引，六畫有「朱」字，下注 2590₀166，查索引一六六頁 2590 朱下有：

~鮪 漢 **99** 下 0630.2

朱鮪的傳，見於《後漢書》九十九卷下。

　　又如「張繡」，先查筆畫索引，十一畫有「張」字，下注 11232 084，查索引八十四頁 11232 張字下有：

~繡 三 魏 8 0942.4

張繡的傳，見於《三國志・魏志》第八卷。

此書在臺灣，有臺灣開明書局民國五十年二月重印本。

二、二十四史傳目引得

此書為梁啟雄編，中華書局民國二十五年印行，梁氏將二十四史之被傳人（包含附傳），依其姓名筆畫之多寡，編成引得，詳註見某史某卷，其功用與前述《二十五史人名索引》相同，且遠不及其完備。《二十五史人名索引》所載人名，此引得甚多未載，但此引得對於附傳注明見某人傳，於查索其他版本之二十四較為便利，故此書仍可與《二十五史人名索引》並存也。此引得分正編與類編二部；正編以人名為本位，所標傳目亦多以人名為主。類編則分列女、后妃、宗室、諸王、公主、釋氏、外紀、雜目、叢傳等。后妃、宗室、公主三類，均以年代相從，採斷代體，其餘均以筆畫多寡為次。又凡二人以上同姓名者，不論時代相去之遠近，止標舉最先見者一名為目，其餘諸人，但舉其所在之書，順序彙列於后。例如：

張昇：魏書卷 86　孝感

北史卷 84　孝行

宋史卷 318

元史卷 177

明史卷 84

明史卷 309　外戚附張騏傳

又同一人而有數傳，分見于各史書，亦僅標舉一目，其復見者，僅舉史名及卷第。例如：

彭越：史記卷 90

漢書卷 34

若一人見于二史而所標之傳目互異者，不問所標為名、為字、為號、所用之字為古字、今字、俗字，均照目錄所標之原名並字之，而互注其異名于後。例如：

秦瓊：唐書卷 89（舊唐書卷 86 作秦叔寶）

秦叔寶：舊唐書 86（唐書卷 89 作秦瓊）

至於目錄所標傳中之名殊異者，則依傳中之名，而注目錄所標者於其後。例如：

仇覽：後漢書卷 106（目作仇香）

楊璇：後漢書卷 68（目作楊琁）

我們要如何來利用此工具書呢？例如我們知道蔡琰
曾作〈悲憤詩〉，我們想進一層瞭解蔡琰的身世，想知
道蔡琰在正史上是否有傳？就可以查《二十四史傳目引
得》了。如何查法？先查檢字表，十六畫有「蔡」字，
下注 289、365 列女。查引得二八九頁蔡字下有：

蔡琰：後漢書卷 114

查引得三六五頁列女類下有：

董祀妻蔡琰：後漢書卷 114

由此可知蔡琰的傳，見於後漢書 114 卷的列女傳。

第九章　檢查年月日的工具書

一、春秋釋例經傳長曆

　　《春秋釋例》十五卷，晉杜預撰，杜氏以為經之條貫，必出于傳，傳之義例，總歸于凡。《左傳》稱凡者五十，其別四十有九，皆周公之垂法，史書之舊章，仲尼因而修之，以成一經之通體。諸稱書、不書、先書、故書、不言、不稱、書曰之類，皆所以起新舊，發大義，謂之變例。亦有舊史所不書，適合仲尼之意者，仲尼即以為義，非互相比較，則褒貶不明。故別集諸例及地名譜第曆數，相與為部。先列經傳數條以包通其餘，而傳所述之凡繫焉。更以己意申之，名之曰釋例。其書卷十至十五卷為經傳長曆。杜氏以為春秋二百餘年，其治曆變通多矣。雖數術絕滅，還尋經傳微旨，大量可知。故乃據經傳微旨證據及失閏旨，考日辰晦朔，以相

發明，而撰為《春秋長曆》。凡諸經傳證據及失閏違時，文字謬誤，皆甄發之。雖未必其得天，蓋乃春秋當時之曆也。長曆起自隱公元年己未正月，迄於哀公二十七年癸酉十二月，每月皆著其朔日，記以干支，表明其月份之大小。

　　我們怎樣來利用此書呢？例如我們讀到僖公三十年《左傳》：「僖公三十年九月甲午，晉侯秦伯圍鄭。」這一段文字裡頭，我們有兩個問題，第一個問題，僖公三十年的干支紀年是什麼？第二個問題，甲午究竟是九月裡的那一天？這時候我們就可查《春秋長曆》了。《釋例》卷十二經傳長曆，僖公三十年的干支紀年是「辛卯」。三十年九月壬午朔，那末九月甲午就是九月十三日。又如僖公三十二年《左傳》：「三十二年冬，晉文公卒，庚辰，將殯於曲沃。」長曆僖公三十二年干支紀年是「癸巳」，十二月己巳朔，庚辰是十二日。知道某月的朔日，其他的干支紀日，縱然未曾說明，我們也可推算出來。推算的方法是先將朔日干支寫出，然後依序排列出來，例如我們已知十二月己巳朔，那麼排下去就如下表：

己巳　朔

庚午　初二

辛未　初三

壬申　初四

癸酉　初五

甲戌　初六

乙亥　初七

丙子　初八

丁丑　初九

戊寅　初十

己卯　十一

庚辰　十二

所以庚辰日是十二日是毫無問題的。此書有商務印書館
叢書集成本。

　　清泰州陳厚耀以杜氏《長曆》猶有差失，乃另撰
《春秋長曆》十卷，於杜氏《長曆》有所訂正，較杜氏
尤為精密。例如：僖公三十年九月，杜氏以為壬午朔，
而陳氏《春秋長曆》則以為癸未朔，然則傳文甲午應為
十二日。此書在臺灣有藝文印書館出版《皇清經解續

編》本，可以互參。

二、歷代帝王年表

　　是書十四卷，清齊召南撰。齊氏以史書既多，年世不易驟曉，因有歷代帝王年表之著，始於三皇，迄於明洪武。自周而上，而次列世，秦帝以後，則紀之以年，縱橫排列，別以統閏，其地與事，則附而繫之。如鏡眉目，清晰可曉。循挈裘領，簡而有功。歷代紀年之上，標註干支，眉列西元紀年，互相參酌，尤為明晰。洪武以後，則清阮福為之增補明年表，清陸費墀又為之增益帝王廟諡年諱譜，附於簡末。

　　我們要怎樣來利用此書呢？例如我們讀到王安石〈答司馬諫議書〉，後面的作者傳略說：「王安石字介甫，號半山，宋撫州臨川人，生於宋真宗天禧五年十二月，卒於哲宗元祐元年四月，卒年六十八。……仁宗慶曆二年，安石二十二，擢進士上等。……嘉祐三年，入為度支判官。……熙寧元年四月，始入朝。……元豐二年，復拜左僕射，元祐元年卒，紹興中，追諡文配。」以上一段文字，有許多的年號，我們想知道這些年代相

當西元多少年，彼此相去多遠，這時候就可查閱歷代帝王年表了。怎麼查？因為《歷代帝王年表》是按著朝代及各朝帝王之先後排列的。所以我們只要按著朝代順序就可以查出來，下面這張表，就是所查得的年號：

朝代	帝王	年　　號	干支	西　　曆
宋	真宗	天禧五年	辛酉	西元 1021 年
宋	仁宗	慶曆二年	壬午	西元 1042 年
宋	仁宗	嘉祐三年	戊戌	西元 1058 年
宋	神宗	熙寧元年	戊申	西元 1068 年
宋	神宗	元豐二年	己未	西元 1079 年
宋	哲宗	元祐元年	丙寅	西元 1086 年
宋	高宗	紹興元年	辛亥	西元 1131 年
宋	高宗	紹興三十二年	壬午	西元 1162 年

　　從以上的資料，可知王安石生於西元 1021 年，卒於西元 1086 年，享年六十六歲，這樣一來，對王安石的一生事蹟，與年代的先後，時間的久暫，就有了較深刻的印象。

三、二十史朔閏表

　　《二十史朔閏表》一冊，民國新會陳垣撰。陳氏始欲為中西二千年日曆，曾先將中西史二千年朔閏考定，迨其中西回史日曆告成，凡二十卷，卷帙較繁，一時不能付印，乃於民國十四年將朔閏表先付影印。陳氏此表，自漢迄清，凡二十史，各依本曆著其朔閏，三國南北朔閏異同另標出之。自漢元始元年起加入西曆，以中曆之月朔，求西曆之月日。西曆一八五二年以前用奧古斯督修正曆，一五八二後用格勒哥里曆。自唐武德五年起，加入回曆，以回曆每年之一月一日，求中曆之月日。卷首列年號通檢，將本表所載歷代年號，依筆畫繁簡列之，下注西曆紀年，卷末附三國六朝朔閏異同表及日曜表。日曜表何年起用何表，即以數字識於眉端，董作賓氏更為之增補，迄於民國八十九年庚辰止。是則自漢高祖元年以迄民國八十九年，只要知中曆之年月日，皆可推算西曆之年月日。反之亦然，運用極為方便。

　　我們要怎樣來利用此部工具書呢？例如我們讀《唐書‧太宗本紀》：「貞觀元年春正月乙酉改元，辛丑，燕王李藝據涇州反，尋為左右所斬，傳首京師。庚午，

以僕射寶軌為益州大都督。」我們想知道貞觀元年正月乙酉，相當於西曆的那一年那一月那一日？又辛丑、庚午又相當西曆甚麼日子？此時就可檢查《二十史朔閏表》了。先查卷首年號通檢，九畫下有「貞觀」的年號，下注 627，那就表示貞觀元年是西曆六二七年。然後翻到朔閏表貞觀元年，在正月欄有「乙酉」字樣，那就是說正月乙酉朔，旁記「一 23」，意指「乙酉」這一天相當西曆一月二十三日。因此我們可知貞觀元年正月乙酉，就是西曆 627 年 1 月 23 日。知道了「乙酉」是一月二十三日，順照干支往下推，辛丑是是中曆正月十七日，相當西曆二月八日，庚午是中曆二月十七日，相當西曆三月九日。

又譬如說，某人是民國二十六年中曆十二月十六日出生，想知道中曆的這一天相當於陽曆的那一日？也可以翻檢《二十史朔閏表》民國二十六年十二月甲午朔，相當於西曆 1938 年 1 月 2 日，甲午是初一，則十二月十六日就是西曆的一月十七日。然則此人是出生於陽曆民國二十七年（即西曆 1938 年）元月十七日。過去，我常常在《大華晚報》的「家政信箱」，看到許多讀者請教艾佳夫人有關中西曆日期換算的問題。假如我們善

於利用這本工具書，則亦可以代為解答了。

　　會用這本工具書，不但可以換算出中西曆的日期，還可進一步求出星期幾來。例如我們想知道，民國二十七年元月十七日是星期幾？就可以檢查書末所附的日曜表了。日曜表是按西曆每月的日數排列的，每四年於二月末閏一日，凡七表二十八年，周而復始，其一二三四等字代表月份的次第，並代表該月的首一日。西曆元年一月一日為漢元壽二年十一月十九日戊寅，是日適為日曜日（星期日），凡遇日曜日，在日曜表裡，陳氏以點誌其旁，順數而下，遇有失閏、不閏及改曆，則須超越他表。究竟何年用何表，陳氏在朔閏表眉上都已註明。例如：民國二十七年就該查日曜表二，查第二表第二年一月十七日正是星期一，因為十六日是日曜日，有點誌其旁。何以知道要查第二表呢？因為在民國二十六年丁丑後有阿拉數字 2，就表示要查第二表，何以知查第二年呢？因為二十六年是第二表的第一年，那末二十七年自然是第二年了，此書在臺灣有藝文印書館印行董作賓增補本。

四、近世中西史日對照表

　　本書為鄭鶴聲編，民國二十五年商務印書館出版。鄭氏以為我國史籍，參以甲子紀日，時序檢核，頗費精力，且曆數屢變，推算尤感困難。而史日之應用，以五代為宏，中外各國，莫不皆然。我國自明季以來，海航大通，歐美文明，驟然東來，國際問題，因之誕生，所有活動，幾無不與世界各國發生關係者。因此中西史日之對照，較之上古中古，其用更繁。爰自明孝宗弘治十一年（西元 1498 年）葡人華士噶德馬 Vascoda Gama 東航至印度，開闢歐亞交通以後，至武宗正德十一年（西元 1516 年），葡人剌匪爾別斯特羅 Rafael Perestrello 附帆來華，是為歐洲船舶入中國之始，亦即近世史之肇端。故其書即以斯年為始，下迄民國三十年，凡四百二十六年。每年二頁，每頁六格，每格分「陽曆」「陰曆」「星期」「干支」四項。而附節氣於干支項內，書前列中外年號紀元對照表，書後附太平新曆與陰陽曆史日對照表。鄭氏以為西曆計算，較為整齊，故其書編排，以西曆為主體，而以中曆附焉。

　　我們如何利用此書呢？例如我們讀《明史·莊烈帝

本紀》：「十七年春正月庚寅朔，大風霾，鳳陽地震。……三月庚寅朔，賊至大同，……乙巳，賊犯京師，京營兵潰，丙午，日晡，外城陷，是夕，皇后周氏崩，丁未，昧爽，內城陷，帝崩於萬壽山。」從這段史書記載，我們知道明思宗死於崇禎十七年三月丁未日。是日應該是西曆那一年那一月那一日星期幾呢？我們就可以查近世中西史日對照表，在 257 頁可查得明崇禎十七年甲申為西曆 1644 年，三月丁未為陽曆四月二十五日星期一。

又如民國前一年（即宣統三年）陽曆十月十日，應合陰曆那一月那一日？查 792 頁，民國前一年（西元 1911 年）陽曆十月十日，陰曆為辛亥年八月十九日癸丑，星期二。民國二十六年七月七日抗戰紀念日，相當於陰曆何時？查 844 頁，得知陰曆為丁丑年五月二十九日乙未。此書不但中西曆日期可以換算，根據卷末所附太平新曆與陰陽曆史日對照表，還可查太平天國之新曆日期，西元 1851 年二月三日為陰曆清文宗咸豐元年辛亥正月三日，換算太平新曆則為太平天國辛開元年一月一日庚寅。此書在臺灣有商務印書館重印本。

五、兩千年中西曆對照表

　　此書民國四十七年十一月由臺灣國民出版社出版，全書共四三七頁，可由已知的陰曆日期直接檢查出和它相當的陽曆日期；反之，也可由已知的陽曆日期直接換算出和它相當的陰曆日期。此外，還可推算出某月某日的星期和干支。附錄中列有各朝代的朔閏表（表一至十二），歷代帝系表（表十三及十四），歷代年號筆畫索引（表十五），二十四節氣陽曆上的約期表（表十六），及六十花甲序數表（表十七）以資參考。此書陰陽曆日期互相檢查所用的表共四百頁，每頁包括陰曆五整年，起自漢平帝元始元年辛酉（西元元年），迄於民國八十九年庚辰（西元 2000 年）共包括陰曆兩千年。每一張表上面劃分「年序」、「陰曆月序」、「陰曆日序」、「星期」及「干支」五欄。「年序」欄下列有國號、帝號、年數、干支及陽曆年數；「陰曆日序」欄下列有表示陰曆月份的連續細體數碼，表示陰曆月的粗體數碼，以及每年第一個月並列供推算各月份干支用的「干支數」（遇特殊情形的各年、月的「干支數」有兩個，則與第二個「干支數」並列的月份，及其以下的月

份，要用第二個「干支數」來推算。）「陰曆日序」欄第一排列的 1 至 30 的連續細體數碼為陰曆日序，各代表陰曆的日子，以下各排的粗體數碼與字每 **123……90ND** 為陽曆月序，各代表陽曆一月、二月、三月……九月、十月、十一月、十二月，並且各連續的細體數碼為陽曆日序，各代表陽曆的日子；「星期」欄下所列的數碼為推算各日星期用的「星期數」；「干支」欄下所列的數碼為推算各干支用的「干支數」。本書所說的的陰曆係指我國昔日沿用的陰曆或現時農作上還應用的農曆而言。其陽曆在 1582 年以前係指儒略曆而言，以後係指格勒哥里曆而言。凡在某年第一個月下面畫有橫線者，如西漢王莽始建國元年（第 2 面），表明王莽在該年採用丑正，以寅正的十二月為歲首，在第二個月下面畫有橫線者，如唐武后天授元年（第 138 面），表明該年武后採用子正，以寅正的十一月為歲首。凡在年中某月改元者，則於該月旁加一符號，以資識別。

　　我們要怎樣來利用這本工具書呢？現在舉例說明本書所列各表的用法如後：

第一例：民國四十四年的中秋節（陰曆八月十五日）相
　　　　　當於西曆幾月幾日？

在書中第 391 頁的「年序」欄查得民國四十四年乙未（西元 1955）陰曆全年的表如下圖：

年序 Year	陰曆月序 Moon	陰曆日序 Order of days (Lunar)																															星期 Week	干支 Cycle
		1	2	3	4	5	6	7	8	9	10	11	12	13	14	15	16	17	18	19	20	21	22	23	24	25	26	27	28	29	30		
民國 4 4 乙未 1955-56	14 -1	24	25	26	27	28	29	30	31	21	2	3	4	5	6	7	8	9	10	11	12	13	14	15	16	17	18	19	20	21	—		0	21
	2	22	23	24	25	26	31	2		3	4	5	6	7	8	9	10	11	12	13	14	15	16	17	18	19	20	21	22	23			1	50
	3	24	25	26	27	28	29	30	31	41	2	3	4	5	6	7	8	9	10	11	12	13	14	15	16	17	18	19	20	21			3	20
	3	22	23	24	25	26	27	28	29	30	51	2	3	4	5	6	7	8	9	10	11	12	13	14	15	16	17	18	19	20	21		4	49
	4	22	23	24	25	26	27	28	29	30	31	61	2	3	4	5	6	7	8	9	10	11	12	13	14	15	16	17	18	19	—		6	19
	5	20	21	22	23	24	25	26	27	28	29	30	71	2	3	4	5	6	7	8	9	10	11	12	13	14	15	16	17	18			0	48
	6	19	20	21	22	23	24	25	26	27	28	29	30	31	81	2	3	4	5	6	7	8	9	10	11	12	13	14	15	16	17		1	17
	7	18	19	20	21	22	23	24	25	26	27	28	29	30	31	91	2	3	4	5	6	7	8	9	10	11	12	13	14	15	—		3	47
	8	16	17	18	19	20	21	22	23	24	25	26	27	28	29	30	**O1**	2	3	4	5	6	7	8	9	10	11	12	13	14	15		4	16
	9	16	17	18	19	20	21	22	23	24	25	26	27	28	29	30	31	**N1**	2	3	4	5	6	7	8	9	10	11	12	13	—		6	46
	10	14	15	16	17	18	19	20	21	22	23	24	25	26	27	28	29	30	**D1**	2	3	4	5	6	7	8	9	10	11	12	13		0	15
	11	14	15	16	17	18	19	20	21	22	23	24	25	26	27	28	29	30	31	21	2	3	4	5	6	7	8	9	10	11	12		2	45
	12	13	14	15	16	17	18	19	20	21	22	23	24	25	26	27	28	29	30	31	21	2	3	4	5	6	7	8	9	10	11		4	15

民國四十四年乙未（西元 1955）陰曆全年表

在其「陰曆月序」欄內查得該年的陰曆月序 8，並在「陰曆日序」欄第一排查得陰曆日序 15，於是自 8 向右橫看，自 15 向下直看，即可看到橫行與縱行交叉處的數碼 30，此即為所求的陽曆日序；由數碼 30 逆推，即有 29、28、27……3、2、1 及粗體數碼 9，此粗體數碼 9 即所求的陽曆日序，故知民國四十四年中秋節為西曆 1955 年 9 月 30 日。

第二例：西曆一九五五年六月廿四日為陰曆的幾月幾

日？

查表得知西曆 1955 年六月廿四日左邊陰曆月序為
5，上面陰曆日序亦 5，故知為陰曆的五月五日（端午
節）。

第三例：民國四十四年的端午節（五月五日）和中秋節
（八月十五日）各為星期幾？

由表得知陰曆五月的星期數（星期內第六個數碼
為）為 0，以「陰曆日序」加上「星期數」為 5（即 5
＋0）；故知端午節為星期五。又陰曆八月的星期數
（星期欄內第九個數碼）為 4，以「陰曆日序」加上
「星期數」為 19（即 15＋4），以 7 除之，餘數為 5，
故知中秋節也在星期五。但要注意的是：「陰曆日序」
加上「星期數」，將所得之和以 7 除之，其所得的餘數
為幾，就是星期幾（若餘數為 0，就是星期日），如果
相加之和小於 7，和數就是星期的序數。

第四例：民國四十四年的端午節和中秋節的干支是怎樣
的？

由表可知，陰曆五月和八月的干支數各為 48 和 16
（「干支」欄內第六個和第九個數碼），又因為「陰曆
日序」加上「干支數」各為 53（即 5＋48）和 31（即

15＋16），故由十七表六十花甲與其序數得知，53 是
丙辰，31 是甲午。但也要注意，如果「陰曆日數」與
「干支數」相加之和小於 60，則所得的和數，就代表
該日的干支序數。如果大於 60，即減去 60 後所得的差
數，才是代表該日的干支序數。有了干支序數，利用十
七表一查即得所代表的干支。求某月的干支方法與求某
日的干支方法相同，只要用月的「干支數」代替日的干
支數，用同樣的步驟，即可查索得到。

表十七　六十花甲與其序數
Table 17. The Sixty Sexagenary Cycles and Their Chronological Orders.

1 甲子 Chia Tzu	2 乙丑 Yi Ch'ou	3 丙寅 Ping Yin	4 丁卯 Ting Mao	5 戊辰 Wu Ch'en	6 己巳 Chi Ssu	7 庚午 Keng Wu	8 辛未 Hsin Wei	9 壬申 Jen Shen	10 癸酉 Kuei Yu
11 甲戌 Chia Hsü	12 乙亥 Yi Hai	13 丙子 Ping Tzu	14 丁丑 Ting Ch'ou	15 戊寅 Wu Yin	16 己卯 Chi Mao	17 庚辰 Keng Ch'en	18 辛巳 Hsin Ssu	19 壬午 Jen Wu	20 癸未 Kuei Wei
21 甲申 Chia Shen	22 乙酉 Yi Yu	23 丙戌 Ping Hsü	24 丁亥 Ting Hai	25 戊子 Wu Tzu	26 己丑 Chi Ch'ou	27 庚寅 Keng Yin	28 辛卯 Hsin Mao	29 壬辰 Jen Ch'en	30 癸巳 Kuei Ssu
31 甲午 Chia Wu	32 乙未 Yi Wei	33 丙申 Ping Shen	34 丁酉 Ting Yu	35 戊戌 Wu Hsü	36 己亥 Chi Hai	37 庚子 Keng Tzu	38 辛丑 Hsin Ch'ou	39 壬寅 Jen Yin	40 癸卯 Kwei Mao
41 甲辰 Chia Ch'en	42 乙巳 Yi Ssu	43 丙午 Ping Wu	44 丁未 Ting Wei	45 戊申 Wu Shen	46 己酉 Chi Yu	47 庚戌 Keng Hsü	48 辛亥 Hsin Hai	49 壬子 Jen Tzu	50 癸丑 Kuei Ch'ou
51 甲寅 Chia Yin	52 乙卯 Yi Mao	53 丙辰 Ping Ch'en	54 丁巳 Ting Ssu	55 戊午 Wu Wu	56 己未 Chi Wei	57 庚申 Keng Shen	58 辛酉 Hsin Yu	59 壬戌 Jen Hsü	60 癸亥 Kuei Hai

第十章　檢查事物起源的工具書

一、事物紀原

　　本書十卷，宋高承撰，明閻敬校刻，收入《惜陰軒叢書》中。此為查考事物原始之工具書，所紀事物，共一千八百四十一事，分為十卷五十五部排列。此書之於宇宙事物，大而天地山川，小而鳥獸草木，微而陰陽之妙，顯而禮樂制度。大凡古今事物之變，無不原其始、推其自而詳考其實。學者得此一書，則凡事物之原，無不瞭然於心目之間。此書體例，以卷統部，以部就事，各部之分；據義類集。每部以四字標目，如天地生植部第一、正朔曆數部第二……之類，各部隸事，多寡不等。

　　我們如何利用此本工具書呢？例如我們平常說姓

氏、道名字，臨文又要避諱等，想知道「姓」、「氏」、「名」、「字」、「諱」等之起源，究竟是怎麼個來源，此時就可以檢查本書了。臺灣新興書局影印本的事物紀原，該局特為編了個目錄索引，在各卷各部事下都注明新編的總頁碼，則檢查起來就更為方便了。先查目錄索隱，在公式姓諱部後，可以查到下列果：

姓……一一三頁。
氏……一一五頁。
名……一一五頁。
字……一一五頁。
諱……一一五頁。

那就是說「姓」在一一三頁，「氏」在一一四頁，而「名」、「字」、「諱」則同在一一五頁。

查一一三頁，可得「姓」一條如下：

『姓』
「《通典》曰：泊帝三五，運歷年紀，人皇之後，有五姓、四姓、七姓、十二姓紀，則姓之始，疑起于此。而《帝王世紀》至太昊始曰：庖犧氏、風姓

也。《易類是謀》曰：黃帝吹律定姓，疑姓自太昊始，而黃帝定姓者，因生賜姓之始也。陸法言引《風俗傳》云：張王李趙，為黃帝賜姓。」

查一一四頁，可得「氏」一條如下：

『氏』

「《春秋左氏傳》曰：天子因生以賜姓，胙之土而命之氏，蓋命氏之原尚矣。天皇而降皆稱，雖盤古之初亦曰氏也。」

查一一五頁可得「名」、「字」、「諱」三條：

『名』

「《帝王世紀》曰：神農母名女登，《春秋鉤命決》曰：任氏感龍生帝魁。注云：魁、炎帝名。《左傳》曰：太皞以龍紀官，故為龍師而龍名。又太皞之母華胥，則名疑始于伏犧氏之前。」

『字』

「《禮記·郊特牲》曰：冠而字之，敬其名也。冠而字，成人之道也。字所以貴名。《帝王世紀》

曰：少皥帝名摯字青陽，則自金天氏始為字也。」

『諱』

「《周禮·小史之職》有事詔王之諱。注云：先王
之名，禮，卒哭以木鐸徇于路，捨故而諱新。注：
故、高祖之諱，新、新死者之諱。《春秋左氏傳》
曰：周人以諱事神，名終將諱之，則是諱名自周人
始也。《禮記·祭義》云：『大王稱諱如見
親。』」

根據以上各條，則於姓氏名字諱的起源，就可以有一個
大概的瞭解了。

又如我們平時讀古書，在版本方面，有所謂「巾箱
本」，我們想知道「巾箱」二字，何所取義？起於何
時？也可以查閱此書，查目錄索引，在經籍藝文部，可
以查到「巾箱」一條。注明 256 頁，查本書 256 頁，即
可見如下一條：

『巾箱』

「《南史》：齊衡陽王鈞嘗親手細書五經部為一
卷，置巾箱中。侍讀賀玠曰：殿下家有墳索，復何

細書，別藏巾箱。鈞曰：巾箱中檢閱既易，且更手寫，則永不忘矣。諸王聞之，爭效為巾箱。今謂籍之書小本者為巾箱，始于此也。」

觀此條後，則於巾箱一名之緣起，也就可以明白了。這類書實在有可以資考據、博多聞的價值。臺灣新興書局有影印本、商務印書館人人文庫本。

二、格致鏡原

　　本書一百卷，清陳龍文編，雍正十三年刊行，陳氏讀羅頎《物原》、劉馮《事始》、徐炬《事物原始》及《說原》、《紀原》諸書，雖亦可資考稽，然多略而不詳，缺而未備，逐決心撰寫此書，蘄網羅百代，囊括萬有，賦彙一書，自天文、地理、人事之繁蹟，以迄草木、昆蟲之細瑣。因就古人所賦之物，推暨古人所未賦之物，一形一質，皆竅其出處，析其名類，積為百卷，題曰《格致鏡原》。此書專資考訂，每究一物，必究其原委，詳其名號，疏其體類，考其製作。大而連篇，小而隻句，必繫書名，偶忘其書，亦必題其人。凡所徵

引，主於經史，然裨編、叢書、俗說、野乘，亦旁及間
採，斷於明季，以求精約。每載一物，皆隨物之詳略，
以為標首，其多者則有總論、名類、稱號、紀異諸目以
別之。至如冠璽車服之標歷代、古人，草墨之標採製、
收貯；書畫之標裝潢等，皆所以清眉目、便覽者，其少
者則不復分析，又少者則連類而錄諸某物。不拘一格而
自有定例。連綴諸書，僅於要緊處，旁圈以顯之，不另
標目。此書為卷一百，為類三十，其另為類不成卷者，
則附於各類之後。一物兩見，則各有所詳，無取重複。
此書記載務博，而篇帙務約，爬羅梳剔，編次極具條
理，與其他類書之多縷陳舊蹟，臚列典章者，頗有不
同，故欲考一事一物之原始流變者，可查此書。

例如我們讀《資治通鑑》，一開頭就看到「朝散大
夫右諫議大夫權御史中丞充理檢使上護軍賜紫金魚袋臣
司馬光奉勑編集」這麼一條。我們想瞭解「紫金魚袋」
的起源與流變，這時就可查此書了。查《格致鏡原》目
錄，在卷三十朝制類下，有「魚袋」一條如下：

魚袋

《唐志》：「魚袋即古之算袋，魏文帝易以龜，取

其先知歸順之義。唐改魚袋，取其合魚符之義。一品至六品皆服之魚袋，以明貴賤。應召命者，皆盛以魚袋，三品以上飾以金，五品以上飾以銀。」《談苑》：「三代以韋為算袋，盛算子及小刀磨石等。魏易為龜袋，唐永徽中四品並給隨身魚，天后改魚為龜，唐初，卿大夫沒，追取魚袋。永徽中敕：生平在官，用為褒飾，沒則收之，情意不忍，五品以上薨，魚更不追取。」岳珂《愧郯錄》：「予閱《朝野僉載》有曰：高宗上元年中，令九品以上佩刀礪算袋，粉帨為魚形，結帛作之，取魚之眾鯉，彊之兆也。至天后朝乃絕，暈雲之後，又準前結帛為飾，竊疑魚袋之始，意或出此。」《會要》：「高宗咸亨三年五月三日始令京官四品職事佩銀魚，是日內出魚袋徧賜之。《隋唐嘉話》：「朝儀魚袋之飾，唯金銀二等，至武后乃改五品以銅。中宗初，罷龜袋復給以魚，郡王嗣王亦佩金魚袋。景龍中，詔衣紫者，魚袋以金飾之，衣緋者以銀飾之。開元初，駙馬都尉從五品者假紫金魚袋，都督刺史品卑者假緋魚袋，五品以上，檢校試判官皆佩魚，百官賞緋紫必兼魚袋，謂之章服，當時服

朱紫佩魚者眾矣。」《格古要論》：「雍熙元年十一月丁卯，祀南郊，大赦，初許陞朝官服緋紫，及二十年者敘賜緋紫，內出魚袋以賜近臣，自袋內外陞朝文武皆帶魚，是凡服紫者飾以金，服緋者飾以銀，京朝官幕職州縣官賜緋紫者，亦帶魚袋。親王武官、內職、將校皆不帶魚袋，宋朝魚袋之制自此始。」《服飾總論》：「我宋紫袍者，除武臣外，文官之制，庶僚佩金魚，未至侍從而特賜帶者不佩魚。大觀制，中書舍人、諫議、待制、權侍郎佩魚，權尚書、御史中丞、資政殿、端明閣學士、直學士、正侍郎、給事中不佩魚。元豐制，翰林學士以上，尚書執政官、宰相佩魚，共敘如此。若猛進躐得者則不然。彼武臣節度使班翰林學士上，六曹尚書下，至今止橫金，迄拜太尉，則恩禮視執政，佩魚矣。又文官借服者不佩魚，故繫銜止稱借紫借緋。及政和中，王韶、延素始建請借服皆佩魚如賜者，從之。然差敕止仍舊，云可特差某職任仍借緋或借紫而已。而其後繫銜者，多自稱借紫金魚袋，若惜緋魚袋，然終無所據也。」馬永卿《懶真子錄》：「張貽孫問魚袋制度，答曰：今之魚袋及古

之魚符，必以魚者，蓋分左右可以合符。唐人用袋
盛魚，今人以魚飾袋，非古制也。」

根據本書所錄各條，我們可知「魚袋」之制，始於唐
代，紫金魚袋者謂衣紫服而佩魚代以金飾之，宋代魚袋
之制則始於太宗雍熙元年。司馬光官諫議大夫，根據神
宗元豐年制書，及徽宗大觀年制書，自得賜紫金魚袋
矣。

　本書在臺灣有新興書局及臺灣商務印書館影印本，
商務版卷後有以四角號碼編成之條文索引，懂四角號碼
者，可據各類條目首字之四角號碼查索，例如魚字四角
號碼為 2733，檢 2733 魚下有（23~袋 1297）一條，23
是袋字首兩個號碼，是為編排各條先後次序用的。~代
表魚字，意謂「魚袋」一條，在全書的 1297 頁。查原
書 1297 頁即得，故極為方便。如不懂四角號碼者，可
據商務版其他編有筆畫索引之工具書，先找出所欲查之
字的四角號碼，然後再查本書的四角號碼條文索引即
得。

第十一章　檢查書籍內容之工具書

一、四庫全書總目提要

　　本書二百卷，清永瑢等奉敕撰，所收圖書共一萬三百三十一種，每種圖書，均有內容提要，凡作者之爵里年代，本書之內容得失，均加論述。清乾隆以前之中國古書之未佚者，大部搜羅在內，實在為中國古書書名大辭典也。欲檢查某古書之內容者，可查是書。

　　此書所收書名、作者逾萬，分經、史、子、集四部，依類排列，皆予提綱列目，經部分十類，史部分十五類，子部分十四類，集部分五類。或流別繁碎者，又各析子目，使條例分明，所錄諸書，各以時代相次，其歷代帝王之著作，則從《隋書·經籍志》之例，冠於各代之首。四部之首，各冠以總序，撮述其源流正變，以

挈綱領。四十三類之首，亦各冠以小序，詳述其分併改
隸，以析條目。如其義有未盡，例有未該，則或於子目
之末，或於本條之下，附註案語，以明通變之由。書前
列有總目，然檢閱仍甚困難，今藝文印書館影印本《四
庫全書總目提要》後附有陳乃乾氏《四庫全書總目未收
書目索引》四卷，此《索引》係以著作人姓名筆畫多寡
排比先後，名下綴所著書，及總目類別篇次。可藉此考
見其人著作若干種，若一書為數人同撰，或經他人補撰
及注釋輯訂者，在各人姓名下互見之。若原書不著撰人
姓名，而《提要》疑為某人所撰者，則仍歸入無名氏。

我們要怎樣利用此書呢？例如我們讀錢基博〈近代
提要鉤玄之作者〉一文，讀到「有纂言歌鉤玄，而摘比
字句，無當宏旨者，如魏徵之《群書治要》，馬總之
《意林》是也。」這一段話，想知道馬總之《意林》是
部甚麼性質的書，就可以檢閱《四庫全書總目提要》
了。

先查《四庫全書總目未收書目索引》，「馬」字十
畫，在《索引》十畫下可以找到如下一個條目。

馬總　　意林　　雜家七

這是說馬總的《意林》在《四庫全書總目提要》子部雜家類七，查《總目》子部三十三雜家七，總卷書為一百二十三卷，查《提要》一百二十三卷即得：

意林五卷 江蘇巡撫採進本

唐馬總撰，《唐書》總本傳，但稱其系出扶風，不言為何地人，其字《唐書》作「會元」，而此本則題曰「元會」，均莫能詳也。傳稱其歷方鎮，終於戶部尚書，贈右僕射，謚曰懿。陳振孫《書錄解題》稱總仕至大理評事，則考之未審矣。初梁庾仲容取周秦以來諸家雜記凡一百七家，摘其要語為三十卷，名曰《子鈔》。總以其繁略失中，復損益以成此書。宋高似孫《子略》稱仲容《子鈔》每家或取數句，或一二百言。馬總《意林》一遵庾目，多者十餘句，少者一二言，比《子鈔》更為取之嚴，錄之精。今觀所採諸子，今多不傳者，惟賴此僅存其概，其傳於今者，如《老》《莊》《管》《列》諸家，亦多與今本不同，不特《孟子》之文如《容齋隨筆》所云也。前有唐戴叔倫、柳伯存二序，與《文獻通考》所載相同。《唐志》著錄作一卷。叔

倫序云三軸，伯存多又云六卷。今世所行有二本，一為范氏天一閣寫本，多所佚脫。是以御題詩有「太玄以下竟亡之」之句。此本為江蘇巡撫所續進，乃明嘉靖己丑廖自顯所刻，較范氏本少戴柳二序，而首特完整。

觀此一段提要文字，則於馬總《意林》之內容，亦有粗略之概念矣。

二、四庫未收書目提要

本書五卷，清阮元編，收入《揅經室外集》。阮元在浙時曾購得四庫未收古書一百七十五種，進呈內府，每進一書，必仿《四庫全書總目提要》之方式，奏進提要一篇。凡所考論，皆從採訪之處，先查此書原委，並屬鮑廷博、何元錫二氏參互審訂，阮氏親加改定，然後纂寫奏進，久而積成卷帙。

欲查此書，亦可查《四庫索引》，例如想知道魏徵《群書治要》是何類性質的書，查《四庫索引》，「魏」字十八畫，在《索引》十八畫下即得如下一條

目：

魏徵　　隋書　　正史一

群書治要　　未收二

意指魏徵的《群書治要》一書，在《四庫未收書目提
要》第二卷，查第二卷即得：

群書治要五十卷提要

唐魏徵等奉敕撰，徵字玄成，魏州曲城人，官至太
子太師，諡文貞，事蹟具《唐書》本傳。案宋王溥
《唐會要》云：「貞觀五年九月二十七日，秘書監
魏徵撰《群書治要》，上之。」又云：「太宗欲覽
前王得失，爰自六經，訖于諸子，上始五年，下盡
晉年，書成，諸王各賜一本。」又《唐書·蕭德言
傳》云：「太宗詔魏徵、虞世南、褚亮及德言袞次
經史百氏帝王所以興衰者上之，帝愛其書博而得
要。曰：『使我稽古臨事不惑者，卿等力也。』德
言賚賜尤渥。」然則書實成于德言之手，故《唐
書》于魏徵、虞世南、褚亮傳皆不及也。是編卷帙
與《唐志》合，《宋史·藝文志》即不著錄，知其

佚久矣。此本乃日本人重印，前有魏徵序，惟闕第
四、第十三、第二十三卷，今觀所載，專主治要，
不事修辭，凡有關乎政術，存乎勸戒者，莫不彙而
輯之。即所采各書，並屬初唐善策，與近刊多有不
同。

觀此，於《群書治要》一書，亦可略識其大要也。

此書在臺灣有藝文印書館《四庫全書總目提要》
本，後附本書。《四庫全書總目提要》及本書，雖有陳
乃乾氏《四庫索引》，可資檢閱，顧陳氏書係依著者姓
氏筆畫編排。設若僅知書名而不知作者姓名，則又檢閱
費事矣。民國二十一年燕京大學圖書館哈佛燕京社引得
編纂處，有見及此，遂取美國魏魯男（James R.
Ware）所為四庫全書總目引得卡片，另編《四庫全書
總目及未收書目引得》，此引得分為兩冊，上冊列書
名，下冊列人名，不但採輯無遺漏，且凡一書有兩稱，
二人同一名，以及偽書之著作者問題，合著及箋注書之
人名歧出，附刊書之書名之歧出，亦都分作專條，一一
列入，使人觀後，即可了然。

其排列之方法，係用洪煨蓮氏之中國字庋繺法。書

末附有拼音及筆畫檢字表，檢閱極為方便。

　　例如我們要查《意林》一書，可查書後筆畫引得，「意」字十三畫，在十三畫後可找到「意」字，後注3/01912。可查上冊書名引得，在 $\frac{III}{01900\text{-}01940}$ 六十二頁可得：

01912 **意見**，一卷；明陳于陞；125/3a
01912 **意林**，五卷；唐馬總；123/3b

意謂《意林》五卷，唐馬總編，在一九二六年上海大東書局本《四庫全書總目提要》一二三卷三頁下。如果我們沒有大東本，則知道了卷數後，其他的版本也易查了。何況該引得還附了一張《四庫全書》卷頁內容表，附別本卷頁推算法，則可推算別本之卷頁。例如：

　　馬總《意林》在大東本的一二三卷三頁下，欲知藝文影本的幾頁，則由引得所附「四庫全書卷頁內容表」得知大東本一二三卷共八頁，而藝文本一二三卷查為三三頁。則其推算式為：

$$（33÷8）×3＝12.3$$

於是在藝文影本十二頁與十三頁前後頁內查索，即可在

十三頁上查得。

又例如我們知道徐堅曾經著一書，但不知所著為
書？則可查筆畫引得，「徐」字十畫，在引得十畫後可
找到「徐」字，後注 5/29960。可查引得下冊人名引
得，$\frac{v}{29960\text{-}29960}$ 在一二三頁即得：

29960 徐

3/84373 **堅**，等（唐）；初學記，三十卷；123/2b

意謂徐堅等撰《初學記》三十卷，在大東本總目提要一
三五卷二頁下。3/84377 為《初學記》的書名引得號
碼。此書在臺灣有成文書局翻印本。

三、四庫大辭典

民國楊家駱編，民國二十年十月十日南京東瓜市中
國圖書大辭典館初版，民國五十六年四月二十三日臺北
中國辭典館籌備處五版，一鉅冊。本辭典以四庫全書總
目著錄存目之書及其著者為範圍，範圍內之書名、人名
均各立一條，每條依王雲五四角號碼排列，書名條下，
著明該書提要，並註明版本及總目原書中之編次。人名

條下著錄下列三項：㈠所著之書名稱。㈡傳記。㈢詳細傳記參考書。書前有王雲五序，及自序例言，書後附錄有三種：㈠助檢表及筆畫索引、拼音索引。㈡四庫全書概述，內分文獻、表計、類敘、書目四篇。㈢胡玉縉著《四庫全書總目提要補正》六十卷，補遺一卷，未收書目補正二卷。是書因將書名、著者皆分條排列，故無論記得書名或人名，皆可據其四角號碼檢索得到，實極為方便。如果不諳四角號碼，則可查筆畫索引與拼音索引，茲舉筆畫索引為例，以明檢查之方法。例如我們要查《初學記》一書之內容，可查筆畫索引，七畫刀部得「初」字，後注 37220 3－118，首一號碼為謂初字四角號碼 3722，0 指附號碼，次一號碼以 3 字頭為四角號碼之 118 頁。查 3－118 頁即得：

3722 0－77 **初學記**三十卷

唐徐堅等奉敕撰，纂經史文章之要，以類相從，分二十三部，三百一十三子目，前為敘事，後為專對，末為傳文。其所採摭，皆唐以前古書，而去取謹嚴，多可應用，雖不及《藝文類聚》之博贍，而精審則遠勝之。唐以來諸本駢青妃白，排比對偶

者，自此書始。○嘉靖十年錫山安國仿宋刊本，嘉
靖十三年晉府刊本，萬曆丁亥徐守銘重刊安國本，
明晉陵楊氏重刊安國本，古香齋刊巾箱本，嘉靖二
十三年瀋王刊本，馮登府有宋本，孔氏刻本。○類
書一。

觀此一條，不但明《初學記》之內容，且知其版本源
流，又可藉其所註總目類次，以查核總目原書及附刊胡
氏總目補正，洵有大功於後學也。若只知著者姓名，不
知書名，則先查出著者之人名，然後由人名條下找出其
書名，再按此法查索，無有不可得者。附帶說明，3722
0－77 之 77 二數為「學」字四角號碼之首二數，他皆
為書名之次一字首二碼。本書在臺灣有楊家駱教授重印
本。

四、叢書大辭典

叢書之名，雖起於唐代，然空有其名，而無其實。
開明清以來叢書之體者，則始起於宋寧宗嘉泰元年，俞
鼎孫之《儒學警悟》始，鼎孫為嘉泰中太學生，曾與其

兄共編《石林燕語辨》、《演繁露》、《懶真子錄》、《攷古篇》、《捫蝨新語》上下集、《螢雪叢說》七種，為《儒學警悟》四十卷。《宋史·藝文志》著錄於子部類事類。俞鼎孫作俞鼎，此真近世叢書之始也。厥後七十二年，而有宋咸淳癸酉古鄮山人左圭《百川學海》之輯，書凡十集，所收多唐宋以來之短書小說，與宋人之詩話、筆談、譜錄小品。亦間有兩晉六朝之作，雖皆小種，然所收較曾慥《類說》及無名氏《續談助》諸書，尚無刪薙割裂之弊。其自序曰：「余舊裒雜說數十種，日積月累，殆逾百家，唯編纂各殊，醇疵各半，大要足以識言行，裨見聞。其不悖於聖賢之指歸則一。」又曰：「人能由眾說之流派，溯學海之淵源，則是書之成，夫豈小補。」宋代叢書，又有何去非《武經七書》，當係元豐中以《六韜》、《孫子》、《吳子》、《司馬法》、《黃石公三略》、《尉繚子》、《李衛公問對》頒行武學後之所刊也。元代叢書，足堪稱述者，惟杜思敬所輯《濟生拔萃》收醫書十八種。有明之初，陶宗儀仿曾慥《類說》之例，而廣其篇籍，掇茸經緯史傳，下逮百氏雜說之書，刊為《說郛》一百卷，亦沿叢書之體。有明叢刊，至今尚可稱述者，雕刻

之精，則有新安程榮之《漢魏叢書》，長洲顧元慶之
《文房小說》，胡氏之《世德堂六子》，郎奎金之《五
雅全書》，金壇王肯堂之《古今醫統正脈全書》，長洲
沈之津《欣賞編》。掇拾之富，則有海鹽胡震亨之《秘
冊彙函》，常熟毛子晉之《津逮秘書》，《詩詞雜
俎》，新安吳琯之《古今逸史》，雲間陸楫之《古今說
海》，武林鍾人傑之《唐宋叢書》，會稽高濬之《稗
海》，鄞縣范欽之《二十一種奇書》，海陵王文祿之
《百陵學山》，嘉興周履靖之《夷門廣牘》，孫幼安之
《稗乘》，黃岡樊維城之《鹽邑志林》。雖採擇未必
精，然尚多存秘籍，他如仁和胡文煥之《格致叢書》，
豐城李栻之《歷代小史》，餘姚胡維新之《兩京遺
編》，雲間陳繼儒之《寶顏堂秘笈》，竟陵鍾惺之《秘
書十八種》，桃溪居士之《五朝小說》，雖等之自鄶，
尚未背叢書之旨也。若秀水高鳴鳳之《今獻彙言》，烏
程沈節甫之《紀錄彙編》，山陰祁承爜之《國朝徵信
錄》等則于治明史者，又不可不知也。有清一代，學術
趨向正軌，遠非前代可比。開國之初，叢書著於時者，
有納蘭成德之《通志堂經解》，張百行之《正誼堂叢
書》，曹寅之《楝亭十二種》，張潮之《昭代叢書》，

以及陳潤之《荊駝逸史》，曹溶之《學海彙編》則其尤著者也。至若顧炎武《音學五書》之考音韻，張士俊《澤存堂五種》之主小學，則尤為菁英。乾嘉以還叢書之著於時者，如張海鵬之《學津討源》、《墨海金壺》、《借月山房彙鈔》，黃丕烈之《士禮居叢書》，盧文弨之《抱經堂叢書》，鮑廷博之《知不足齋叢書》，李調元之《涵海》，畢沅之《經訓堂叢書》，孫星衍之《平津館叢書》、《岱南閣叢書》，阮元之《學海堂經解》、《文選樓叢書》，周永年之《貸園叢書》，盧見曾之《雅雨堂叢書》，顧修之《讀書齋叢書》，以及孫馮翼之《問經堂叢書》，黃奭之《漢學堂叢書》，馬國翰之《玉函山房輯佚書》等，皆此期之魁壘也。道咸而後，叢書之刊布，猶遵乾嘉之舊軌者，則有陳潢之《澤古齋叢鈔》，茆泮林之《十種古逸書》蔣光煦之《別下齋叢書》、《涉聞梓舊》，錢培名之《小萬卷樓叢書》，錢熙祚之《守山閣叢書》、《珠叢別錄》、《指海》，潘仕成之《海山仙館叢書》，伍崇曜之《粵雅堂叢書》，鮑廷爵之《後知不足齋叢書》，章壽康之《式訓堂叢書》，王先謙之《南菁書院經解》，鍾謙鈞之《古經解彙函》、《小學彙函》，張炳翔之

《許學叢書》，姚進元之《咫進齋叢書》；其揚今文之墜緒者，則有莊存與《善味經齋遺書》，宋翔鳳之《浮溪精舍叢書》。此外叢書，文史而外，兼收地理、目錄、金石、佛錄、西藝之編者，則有郁松年之《宜稼堂叢書》，李錫齡之《惜陰軒叢書》，楊尚文之《連筠簃叢書》，潘祖蔭之《滂熹齋叢書》、《功順堂叢書》，趙之謙之《仰視千七百二十九鶴齋叢書》，黎庶昌之《古逸叢書》，蔣鳳藻之《鐵華館叢書》，陸心源之《十萬卷樓叢書》，張鈞衡之《適園叢書》，劉世珩之《聚學軒叢書》，袁昶之《漸西村舍叢書》，徐乃昌之《積學齋叢書》，江標之《靈鶼閣叢書》，廣雅書局之《廣雅叢書》，胡思敬之《問影樓輿地叢書》。並能繼軌前徽，廣事搜採。彙刻鄉邦著述，蔚為巨帙者，則同光間伍崇曜之《嶺南叢書》，王灝之《畿輔叢書》，趙尚輔之《湖北叢書》，陶福履之《豫章叢書》，胡鳳丹之《金華叢書》，傅春官之《金陵叢刊》。保存文獻，恢弘學術，功莫大焉。民國以來，學術分科愈細，叢書網羅日專，考訂鳴沙秘籍殷虛文字之屬，則有羅振玉《吉石盦叢書》、《鳴沙石室古籍叢殘》，王國維之《藝術叢書》、《學術叢書》。勘校詞曲之屬，則有王

鵬運之《四印齋所刻詞》，朱祖謀之《彊村叢書》，吳昌綬之《雙照樓錄宋元本詞》，陶湘之《影宋金元詞》，吳梅之《奢摩他室曲叢》，盋山精舍之《元明雜劇》，盧前之《斂虹簃叢書》，任訥之《散曲叢刊》，唐圭璋之《詞話叢編》。專蒐目錄之著者有上虞羅氏之《玉簡齋叢書》，長沙葉氏之《觀古堂書目叢刻》，姚振宗之《快閣師石山房叢書》。其中最盡叢書之用者厥為《四部叢刊》、《四部備要》、《叢書集成》、《百部叢書》四者最為重要。《四部叢刊》者，商務印書館所印行，嘗自舉其善，蓋有六焉。謂彙刻叢書，昉於南宋，後世踵之，顧其所收，類多小種，足備專門之瀏覽，而非常人所必需，此之所收，皆四部之中，家弦戶誦之書，如布帛菽粟，四民不可一日缺者，其善一矣。明之永樂大典，清之圖書集成，無所不包，誠為鴻博，而所收古書，悉經剪裁，此則仍存原本，其善二矣。書貴舊本，昔人明訓，麻沙惡槧，安用流傳，此則廣事購借，類多秘帙。其善三矣。求書者縱胸有晁陳之學，冥心搜訪，然其聚也，非在一地，其得也，不能同時，此則所求之本，具於一編，省時省事，其善四矣。雕版之書，卷帙浩繁，藏之充棟，載之專車，平時翻閱，已屢

煩乎轉換，此用石印，但略小其匡，而不併其葉，故冊小而字大，冊小則便於庋藏，字大則能悅目。其善五矣。鏤刻之本，時有先後，往往小大不齊，縹緗異色，以之插架，殊傷美觀，此則版型紙色，斠若劃一，列之清齋，實為精雅，其善六矣。自影印新法，流入中土，用以繙布舊籍，由來已久，求其精善宏博，蓋未能逾於此者。初編收書三百四十八種，二千九百七十九冊，一萬一千五百二十二卷，百衲本二十四史，三千二百四十卷別行，又續編二百一十三種六千九百六十四卷，三編二百零一種六千七百四十七卷。誠可謂學海之鉅觀，書林之創舉矣。《四部備要》者，中華書局所印行，都凡三百五十一種，一萬一千二百零五卷，其於諸籍，多以近儒校注之本為依據，而務求合應用之所需，此尤便於初學者也。所用聚珍倣宋字，亦可謂美觀者矣。《叢書集成》者亦商務印書館所印行，選取叢書百部，約六千種，二萬七十餘卷，汰除重複，綜為一籍，實存四千一百種，約二萬卷，此書用意至佳❶。

---

❶ 藝文印書館《百部叢書集成》乃在臺灣刊行者，可與商務印書館《叢書集成》先後比美，同有功於學術文化者也。

　　本書條目性質，分為四種，一曰叢書總目條，簡稱總目條。二曰叢書撰編校刊者人名條，簡稱總人名條。三曰叢書子目書名條，簡稱子目條。四曰叢書子目各書撰注者人名條，簡稱子目人名條。四者按辭典綜式綜合排列。

　　總目條係以各叢書之名稱立條目，條文內記載此叢書撰編校刊者姓名及其版本，並臚舉全書子目。及子目各書卷數與撰注者姓名，間繫考證或附列關係書目及他項記載，惟多係採自舊目，格式未盡畫一，亦未盡注出處。

　　總人名條，以各總目條所列各叢書撰編校刊者姓名立為條目，條文內祇舉其所撰編校刊之叢書名稱，其他則檢者可復按其總目本條。

　　子目條係以總目條內所列書名立為條目，條文內祇舉所被收之叢書名稱，其他檢者可復按其總目本條。

　　子目人名條，以總目條中所列叢書子目各書撰注者姓名立為條目，凡叢書總目條未經注明者，概從闕。條下僅舉所著書之在叢書內者，至在何種叢書內，檢者可復按其子目本條。

　　本書條目之排列，採用王雲五四角號碼檢字法。為

顧及不諳四角號碼者檢用起見，另附部首筆劃索引，按
《辭源》之單字次序排列。

　　我們要怎樣利用此書呢？我們知道伍崇曜編有《粵
雅堂叢書》，想知道《粵雅堂叢書》的內容，此時可查
《索引字頭筆畫檢字》，「粵」字十二畫，在《索引字
頭筆畫檢字》十二畫有粵字下註四角號碼為 2620_7。在
《叢書大辭典》409 頁 2620_7 下可檢得

　　【粵雅堂叢書】清南海伍崇曜校刊。　　第一集
南部新書十卷（宋錢易撰）、中吳紀聞六卷（宋龔
明之撰）、志雅堂雜鈔二卷（宋周密撰）、焦氏筆
乘六卷續八卷（明焦竑撰）、東城雜記二卷（清厲
鶚撰）。　　第二集　奉天錄四卷（唐趙一元撰）、
咸淳遺事二卷（宋無名氏）、昭忠錄一卷（同
上）、月泉吟社一卷（宋吳渭編）、谷音一卷（元
杜本編）、河汾諸老詩集八卷（元房祺編）、揭文
安公文粹二卷（元揭傒斯撰）、玉笥集十卷（元張
憲撰）、潞水客談一卷（明徐貞明撰）、陶庵夢憶
八卷（明張岱撰）、天香閣隨筆二卷・集一卷（明
李介撰）。　　第三集　芻蕘奧論二卷（宋張方平

撰）、唐史論斷三卷（宋孫甫撰）、叔苴子內編六卷·外編二卷（明莊元臣撰）、西洋朝貢錄三卷（明黃省曾撰）、五代詩話十卷（清王士正編鄭方坤刪補）。　第四集　易圖明辨十卷（清胡渭撰）、四書逸牋六卷（清程大中撰）、古韻標準四卷（清江永撰）、四聲切韻表一卷（同上）、緒言三卷（清震撰）、聲類四卷（清錢大昕撰）、宋遼金元四史朔閏攷二卷。　第五集　國史經籍志五卷（焦竑撰）、文史通義八卷·校讎通義三卷（清章學誠撰）。　第六集　經義攷補正十二卷（清翁方綱撰）、小石帆亭五言詩續鈔八卷（同上）、蘇詩補註八卷（同上）、石洲詩話八卷（同上）、北江詩話六卷（洪亮吉撰）、玉山草堂續集六卷（清錢林撰）。　第七集　虎鈐經二十卷（宋許洞撰）、打馬圖經一卷（宋李清照撰）、敘古千文一卷（宋胡寅撰黃灝注）、草廬經略一卷（明無名氏）、字觸六卷（清周亮工撰）、今世說八卷（清王晫撰）、飲水詩集二卷·詞集二卷（清性德撰）。第八集　雙溪集十五卷（宋蘇籀撰）、日湖漁唱一卷（宋陳允平撰）、琴譜六卷（元熊朋來撰）、秋

笟集八卷（清吳兆騫撰）、燕樂攷原六卷（清淩廷
堪撰）。　第九集　絳雲樓書目四卷（清錢謙益編
陳景雲注）、述古堂書目四卷（清錢曾撰）、石柱
記箋釋五卷（清鄭元慶撰）、林屋唱酬錄一卷（清
馬曰琯等編）、焦山紀遊集一卷·沙河逸老小稿六
卷·嶰谷詞一卷（馬曰琯撰）、南齊集六卷·詞二
卷（清馬曰璐撰）。　第十集　九國志十二卷（宋
路振撰張唐英補）、胡子知言六卷·疑義一卷·附
錄一卷（宋胡宏撰）、蒿菴閒話二卷（清張爾岐
撰）、後漢書補注二十四卷（清惠棟撰）、後漢書
補表八卷（清錢大昭撰）。　第十一集　詩書古訓
六卷（清阮元撰）、十三經音略十二卷（清周春
撰）、說文聲系十四卷（清姚文田撰）。　第十二
集　新校鄭志三卷·附錄一卷（鄭小同撰清錢東垣
等勘訂）、文館詞林四卷（唐許敬宗等編）、兩京
新紀一卷（唐韋述撰）、華嚴經音義四卷（唐釋慧
苑撰）、道德真經注四卷（元吳澄撰）、太上感應
篇注二卷（惠棟撰）、歷代帝王年表三卷（清六召
南撰阮福續）紀元編三卷（清李兆洛撰）。　第十
三集　中興禦侮錄二卷（宋無名氏撰）、襄陽守城

錄一卷（宋趙萬年撰）、宋季三朝政要五卷（宋無名氏）、附錄一卷（宋陳仲微撰）、詞源二卷（宋張炎撰）、元草堂詩餘三卷（元鳳林書院本）、棲山堂集二十七卷（明吳應箕撰）。　第十四集　朱子年譜四卷·考異四卷·附錄二卷（清王懋竑撰）、韓柳年譜八卷（馬曰璐合刻）、疑年錄四卷（錢大昕撰）、續錄四卷（清吳修撰）、米海岳年譜一卷（清翁方綱撰）、元遺山先生年譜三卷（同上）。　第十五集　崇文總目輯釋五卷·補遺一卷（宋王欽若等撰清錢東垣等輯）、菉竹堂書目六卷（明葉盛撰）、金石林時地考二卷（明趙均撰）、勝飲篇十八卷（清郎廷極選）、采硫日記三卷（清郁永河撰）、嵩洛訪碑日記一卷（清黃易撰）、通志堂經解錄一卷（翁方綱撰）、蘇米齋蘭亭考八卷（同上）、石渠隨筆八卷（阮元撰）。　第十六集　同官新義十六卷（宋王安石撰）、爾雅新義二十卷（宋陸佃撰）、蘇氏周易集解十卷（清孫星衍撰）、春秋穀梁傳時月日書法釋例（清許桂林撰）。　第十七集　群經音辨七卷（宋賈昌朝撰）、刊正九經三傳沿革例一卷（宋岳珂撰）、九

經補韻一卷·附錄一卷（宋楊伯嵒撰清錢侗考
正）、詞林韻釋二卷（宋菉斐軒刊本）、漢書地理
志稽疑六卷（清全祖望撰）、國策地名考二十卷
（清程恩澤撰狄子奇箋）。　第十八集　儀禮石經
校勘記四卷（阮元撰）、隸經文四卷（清江藩
撰）、樂縣考二卷（同上）、國朝漢學師承記八
卷、附錄國朝經師經義目錄一卷（同上）、國朝宋
學淵源記二卷·附記一卷（同上）、顧亭林先生年
譜四卷（清張穆撰）、閻潛邱先生年譜四卷（同
上）。　第十九集　秋園雜佩一卷（明陳貞慧
撰）、倪文正公年譜四卷（清倪會鼎撰）、南雷文
定前集十一卷·後集四卷·三集三卷·詩歷四卷
（清黃宗羲撰）、程侍郎遺集十卷（程恩澤撰）。
第二十集　李元賓集六卷（唐李觀撰）、呂衡州集
十卷（唐呂溫撰）、西崑酬倡集二卷（唐楊億等
撰）、鄂州小集六卷（宋羅願撰）、樂府雅詞六
卷·拾遺一卷（宋曾慥撰）、陽春白雪八卷·外集
一卷（宋趙聞禮撰）、揅經室詩錄五卷（阮元
撰）。　第二十一集　孟子音義二卷（宋孫奭
撰）、兩漢博聞十二卷（宋楊侃撰）、春秋五禮例

宗十卷（原缺四五六宋張大亨撰）、兒易外儀十五卷（明倪元璐撰）、春秋國都爵姓考（清陳鵬撰）·附春秋國都爵姓考補（清曾釗撰）、儀禮管見三卷（清褚寅亮撰）。　第二十二集　包孝肅奏議十卷（宋包拯撰）、續世說十二卷（宋孔平仲撰）、寶刻類編八卷（宋無名氏撰）、書義主意六卷（元王充耘撰）·附群英書義二卷（元張泰撰）、焦氏類林八卷（明焦竑撰）、西域釋地一卷·西陲要略四卷（清祁韻士撰）。　第二十三集續談助五卷（宋無名氏撰）、益齋集十卷·拾遺一卷·集誌一卷（元李齊賢撰）至正直記四卷（元孔齊撰）、鳳氏經說三卷（清鳳韶撰）、比雅十九卷（清洪亮吉撰）、廣釋名二卷（清張金吾撰）、對數簡法二卷·續對數簡法一卷·外切密率四數·假數測圜二卷（清戴煦撰）。　第二十四集　乾道臨安志三卷（宋周淙撰）、京口耆舊傳九卷（宋無名氏撰）、輿地碑記目四卷（宋王象之撰）、紹興題名錄一卷·寶祐登科錄一卷·河朔訪古記三卷（元納新撰）、長物志十二卷（明文震亨撰）、墨志一卷（明麻三衡撰）、唐昭陵石跡考略五卷（清林侗

撰）、瘞鶴銘考一卷（清汪士鈜撰）、小山畫譜二
卷（清鄒一桂撰）、雲中紀程二卷（清高懋功
撰）、太清神鑒六卷（無名氏撰）。　第二十五集
漢唐事箋前集十二卷・後集八卷（元朱禮撰）、馭
交記十二卷（明張鏡心撰）、三國志補注六卷（清
杭世駿撰）、述學三卷（清汪中撰）、黔書四卷
（清田雯撰）、續黔書八卷（清張澍撰）、烟霞萬
古樓文集六卷・詩選二卷（清王曇撰）、附仲瞿詩
錄一卷（清徐渭仁輯）、梅邊吸笛譜二卷（清淩廷
堪撰）。　第二十六集　帝範一卷（唐太宗撰）、
臣軌一卷（唐武后撰）、群書治要五十卷（原缺卷
四卷十三卷二十唐魏徵撰）、四聲等子一卷（無名
氏撰）。　第二十七集　周易新講義十卷（宋龔原
撰）、玉堂類藁二十卷・西垣類藁二卷・附錄一卷
（宋崔敦詩撰）。　第二十八集　唐才子傳十卷
（元辛文房撰）、律呂通解五卷（清汪烜撰）、六
書轉注十卷（洪亮吉撰）、季滄葦書目一卷（季振
宜撰）、墨緣彙觀錄四卷（清無名氏撰）。　第二
十九集　兒易內儀以六卷（明倪元璐撰）、蜀名勝
記三十卷（明曹學佺撰）、補宋書刑法志一卷（郝

懿行撰）、補宋書食貨志一卷・晉宋書故一卷。

第三十集　姑溪居士前集五十卷・後集二十卷（宋李之儀撰）、授堂文鈔八卷（清彭兆蓀撰）

【粵雅堂叢書】叢書集成。

我們看到兩條粵雅堂叢書，前一條告訴我們叢書的編輯者是伍崇曜，以叢書的內容。後一條告訴我們此一叢書亦收進於《叢書集成》內。

五、叢書總目類編

本編所收叢書 2797 種，均係古典文獻。本書分「彙編」與「類編」兩部分，《彙編》分雜纂、輯佚、郡邑、氏族、獨撰五類；《類編》分經、史、子、集四類。書名據原書著錄，凡題「一名」的，均附注於後。重編、增刻而著名改題的，一併著錄，以另一種字體為別，其有未題名的，則據諸家目錄擬加。

例一：

新陽趙氏叢書（一名高齋叢刻）

例二：

行素軒算稿

　　　清光緒八年（1882）梁谿華氏刊本

行素軒筆錄

　　　清光緒二十四年（1898）上海文瑞樓石印本

著者原書題署用字號的，統一改用其名；用別號、筆名的，按原書著錄，其姓名可考的，附注於後。至著者後來改名，其題署原名的，按原書著錄而將所改之名附注於後。凡著者後的附注均加括弧，用以表示此全為全書所統一之著錄。

例一：

　　（明）斛園居士（葉憲祖）

例二：

　　（清）成孺（蓉鏡）

凡一書為兩種以上叢書所收，所題著者有分歧，成為甲乙兩人時，各按原書著錄，經考訂認為甲較可靠，附加「一題」附注於乙名之後。

例：

《唐宋傳奇集》　虬髯客傳一卷　（前蜀）杜光庭撰

《說郛》　虬髯客傳一卷　（唐）張說（一題前蜀杜光庭）撰

每一著者姓名前均加朝代名，今人則不加。

本書編末附《叢書書名索引》和《索引字頭筆劃檢字》檢索所有叢書中包括數種著作的子目書名。索引上的號碼，正體字是《叢書總目類編》的頁碼，斜體字是該叢書在類編中次第。

例如我們想知道《古逸叢書》包含那些書？可查《索引字頭筆畫檢字》五畫下有「古」字，4060。

查《叢書書名索引》4060。得 37~逸叢書 214，*202*

查《叢書總目類編》214 頁，202 號得

古逸叢書

（清）黎庶昌輯

　　清光緒中遵義黎氏日本東京使署景刊本

爾雅三卷　（晉）郭璞注　光緒九年（1883）　據

宋蜀大字本景刊

春秋穀梁傳十二卷附考異一卷　（晉）范甯集解
　　（唐）陸德明音義　考異（民國）楊守敬撰　光
　　緒九年（1883）據宋紹熙本景刊

論語十卷　（魏）何晏集解　光緒八年（1882）據
　　日本正平本景刊

周易六卷附晦庵先生校正周易繫辭精義二卷
　　（宋）程頤傳　附（宋）呂祖謙撰　光緒九年
　　（1883）據元至正本景刊

孝經一卷　唐玄宗注　據日本舊鈔卷子本景刊

老子道德經二卷　（周）李耳撰　（魏）王弼注
　　據集唐字本景刊

荀子二十卷　（周）荀況撰　（唐）楊倞注　光緒
　　十年（1884）據宋台州本景刊

南華真經注疏十卷　（晉）郭象注　（唐）成玄英
　　疏　據宋本景刊

楚辭集注八卷辯證二卷後語六卷　（宋）朱熹撰
　　據元本景刊

尚書釋音二卷　（唐）陸德明撰　據日本景鈔宋大
　　字本景刊

玉篇殘四卷（存卷九、卷十八至十九、卷二十七）

又二卷（卷九、卷二十二）　　（梁）顧野王撰

據日本舊鈔卷子本景刊

廣韻五卷附校札一卷　　（宋）陳彭年等重修　校札

（清）黎庶昌撰　據未本景刊

廣韻五卷　　（宋）陳彭年等重修　據元泰定本景刊

玉燭寶典十二卷（原缺卷九）　　（隋）杜臺卿撰

據日本舊鈔卷子本景刊

文館詞林殘十四卷（存卷一百五十六至一百五十

八、卷三百四十七、卷四百五十二至四百五十

三、卷四百五十七、卷四百五十九、卷六百六十

五至六百六十七、卷六百七十、卷六百九十一、

卷六百九十九）　　（唐）許敬宗等輯　光緒十年

（1884）據日本舊鈔卷子本景刊

瑂玉集殘二卷（存卷十二，卷十四）　　據日本舊鈔

卷子本景刊

姓解三卷　　（宋）邵思撰　據北宋本景刊

韻鏡一卷　據日本永祿本景刊

日本國見書目錄一卷　　（日本）藤原佐世撰　據日

本舊鈔卷子本景刊

史略六卷　（宋）高似孫撰　光緒十年（1884）年
據宋本景刊

漢書食貨志一卷（原缺卷下）　　（漢）班固撰
（唐）顏師古注　光緒八年（1882）據唐寫本景
刊

急就篇一卷　（漢）史游撰　據日本小島知足仿唐
石經體寫本景刊

杜工部草堂詩箋四十卷外集一卷補遺十卷傳序碑銘
一卷目錄二卷年譜二卷詩話二卷　（宋）魯訔輯
（宋）蔡夢弼會箋補遺　（宋）黃鶴集註　據宋
本麻沙景刊補遺據高麗繙刻本景刊

碣石調幽蘭一卷　（陳）丘公明撰　據日本舊鈔卷
子本景刊

天台山記一卷　（唐）徐靈府撰　據日本舊鈔卷子
本景刊

太平寰宇記殘六卷（存卷－百十三至一百十八）
（宋）樂史撰　光緒九年（1883）據宋本景刊

六、藝文志二十種綜合引得

藝文志二十種者，合班固《漢書·藝文志》，姚振宗《後漢藝文志》，《三國藝文志》，文廷式《補晉書藝文志》，長孫无忌等《隋書·經籍志》，劉昫等《舊唐書·經籍志》，歐陽修等《新唐書·藝文志》，顧懷三《補五代史藝文志》，托克托等《宋史·藝文志》，盧文弨《宋史藝文志補》、《補遼金元藝文志》，金門詔《補三史藝文志》❷，錢大昕《補元史藝文志》，張廷玉等《明史·藝文志》，朱師轍《清史稿·藝文志》及《禁書總目》，《全燬書目》，《抽燬書目》，《違碍書目》，與劉世瑗《徵訪明季遺書目》也。《藝文志二十種綜合引得》之編排既為綜合二十種藝文志而成，因志名稱稍嫌冗長，故各以略語代表之，如"清"為《清史·藝文志》之簡稱，"明"為《明史·藝文志》之簡稱，後附《藝文志二十種原名及略語對照表》可自行參閱。本引得之書名、人名互為目注，以書名為主者，則書名為目，人名為注；以人名為主者，則人名為

---

❷　亦稱《補遼金元史藝文志》。

目，如"王勃；周易發揮"一條，"王勃"為目，"周易發揮"為注；而"周易發揮；王勃"一條，則"周易發揮"為目，"王勃"為注。本引得之排列，一準"中國字庋纇"法。其引得取目之第一字之羅馬字母，編成拼音檢字。所據拼音系統從 Herbert Giles, Chinese-English Dictionary (Kelly and Walsh, Shanghai, 1912) 中國字音若不相識，則據音檢索為無效，故另取其目之第一字，編為筆畫檢字，其筆畫相同之字，皆按《康熙字典》依其部首順次排列。

我們要怎樣來利用此書呢？我們知道戴震是清代樸學皖派的領袖，但不知他有何著作，此時可查「拼音檢字」戴震首字「戴」，韋氏拼音為 TAI，查 TAI，在下面有「戴」字，下注 2/35895。在本索引的 II /35895-35895 下有一條如下：

戴震：尚書義考：清 1/6a

　一；毛鄭詩考正：清 1/7b

　一；詩經補注：清 1/7b

　一；考工記圖注：清 1/9a

　一；孟子字義疏證：清 1/18b

　一；經考：清 1/20b

一：方言疏證：清 1/22a

一：聲韻考：清 1/25b

一：聲類表：清 1/25b

一：轉語：清 1/25b

一：水經注校：清 2/18a

一：水地記：清 2/18a

一：原善：清 3/3b

一：天文略，續：清 3/10a

一：句股割圜記：清 3/11b

一：五經算術考證：清 3/12a

一：屈原賦注：清 4/1a

一：屈原賦通釋：清 4/1a

一：屈原賦音義：清 4/1a

一：東原集：清 4/1a

一等；汾州府志：清 2/15a

如果對拚音不熟，可查筆畫檢字。「戴」十八畫，在十八畫下可見

戴 2/35895

也可以找到。

第十二章　檢查學術論文 的工具書

　　研讀碩士、博士或寫學位論文，或學人寫作學術論文時，想知道有些甚麼參考書，此時就可查閱這類工具書。分述於後：

一、國學論文索引

　　本書共收抗戰以前大陸各著名雜誌八十二種，其分類，首總論、次群經、次語言文字、次攷古、次史學、次地學，次諸子、次文學、次科學、政治、經濟、社會教育等學，而殿以圖書目錄學。凡諸論文，可因類以求，因目尋篇。據其篇題與雜誌之卷數，無不可得也。每類在全編之內，可視為一獨立部分，故關於通論之論文，均弁於各類之首，餘者以性之所近，括為若干小

類，並列於次，而每一類之中，其類目或以性質定其先後，或以時代定其先後。

我們要如何利用此書呢？例如我們想寫一篇與《詩經》詩序有關的文章，不知有何資料可供參考，此時就可查國學索引了。查正續編目錄

二、群經
　　(5)詩　　一七－二一

查初編索引，在二一頁上，可看到有下列幾篇與《詩·序》有關的文章，可供參考。

論詩序　廖平　中國學報第四
讀毛詩序　鄭振鐸　小說月報十四卷一號
毛詩序考　吳時英　晨報副鐫十三年四月份
宋朱熹的詩經集傳和詩序辯　傅斯年　新潮一卷四號

續編索引則在九、十兩頁上有下列篇章可供參考。

說詩序　屠祥麟　中央大學半月刊一卷十五期
詩序作者考證　黃優仕　國學月報彙刊一集

毛詩序之背景與旨趣　顧頡剛　中山大學語言歷史學研究所週刊十集一二〇期

再查三編目錄

　　二、經類
　　　　(5)詩經　　九——三

查三編索引，在一〇頁開始有下列文章，可供參考。

毛詩序之背景與旨趣　顧頡剛　國立中山大學語言歷史研究所週刊十集一二〇期

詩大序小序辨　許新堂　民彝雜誌一卷八期

詩序非衛宏所作說　黃節　清華中國文學會月刊一卷二期

又查索引四編目錄

　　二、經類
　　　　(5)詩經　　二〇－二六

查索引在二〇頁開始有下列文章，可供參考。

詩序　呂思勉　光華大學半月刊二卷十期

詩序考原　李繁閣　勵學四期

詩序作者　李嘉言　北平晨風思辨廿一期（廿四年十一月十五日）

論詩序　蘇維嶽　國風月刊七卷四號

從以上所查索的資料，可知關於詩序的研究，有些什麼文章可供參考，也可知道在那裏可以找到我們所要的有關文章，這時我們做研究工作的基本工夫。

二、民國學術論文索引

　　章羣先生承當時中國國民黨祕書長張其昀先生之命，撰寫《民國學術論文索引》，以供學者參考。其所取材，多本於中央研究院歷史語言研究所之收藏，私家存書，間亦有之。本書所收論文，以文哲史地為主，分類九十，即總論、哲學、經學、史學、地理、語文學，文學、民族學與民俗學、考古人類學、圖書與文獻。每類又列若干細目，總求檢閱方便，至於篇章次序，能以時間分者，列其先後，能以地區畫者，則如其分分；此外或以性質相近，或以思想連貫排成一類，又為便利參

閱，間有互見。譬如說，我們想研究《詩經》的《詩序》問題，不知有些什麼資料可供參考，就可查閱此書。首先查目錄：

　　叁　經學
　　　　三、詩經……………………………二○

在本書的二○頁三、詩經下，可看到有下列篇章可供參考。茲錄於下：

詩序存廢之商榷　涂世恩　文史季刊（一·三）（這表示一卷三期，後仿此）

詩序作者考證　黃優仕　國學月報彙刊（一）

詩經序傳箋略例　黃季剛　制言（三九）

詩經序傳箋略例補　黃季剛　制言（三九）

三、文學論文索引

　　本書搜羅中國雜誌報章共一百六十二種，由光緒三十一年起，至民國十八年十二月止。本書分上中下三編。上編為總論，包括文學通論及通論各國文學兩類論

文。中編為分論，依作品之體製分為詩歌、戲曲、小說等項。下編為文學家評傳，以國家分組，排列次序依作家之年代。

　　譬如我們想知道研究有關〈古詩十九首〉的論文有那些，就可查本索引了，查目錄，「中編　文學分論」

　　一、詩與歌謠
　　　　2.　中國詩歌
　　　（1）舊詩歌
　　　古詩十九首　　下註明一一四。

我們可查索引一一四頁，古詩十九首欄有下列論文：

　　古詩十九首　張壽林　京報附設之第六種週刊十四年十月十七日至十一月七日
　　古詩十九首在文學上之地位　徐禪心　中大語言歷史學研究所週刊六集六十五期
　　古詩十九首考　徐中舒　中大語言歷史研究所週刊六集六十五期　立達一期
　　古詩十九首詮釋　髯客　學藝二卷四號五號

這些論文，的確是我們研究〈古詩十九首〉很重要的參

考論文。

四、文學論文索引續編

　　本篇體例沿正編之舊，不過材料由民國十七年起，至二十二年五月止。我們也用同樣的方法去使用本書。例如〈古詩十九首〉的相關論文，也可以查目錄

　　「中編　文學分論」

　　一、詩歌

　　　　6.中國詩歌

　　　　A.舊詩　　下註八七－一〇三

我們可以在九一頁上看到下列論文：

古詩　　賀凱　中國文學史綱要三編二章（即古詩十九首）
古詩十九首所表現的情感　　訪秋　河南民報副刊
寸土（十八年五月）
古詩十九首論叢　　常工　晨星月刊第一期
葺芷繚衡室古詩札記　　平伯　清華文學月刊二卷
一、二期（內容均偏於古詩十九首章句之解釋）

這幾篇論文當然對研究〈古詩十九首〉有相當的助益。

五、中國語言學論文索引（甲、乙編）

本索引為中國科學院語言研究所編，1965 年科學出版社出版。

甲編收集一 1949 年以前發表的有關語言學的論文，輯自國內報刊及一部分論文集，共計六百餘種，論文共五千餘篇。

乙編收集國內報刊二百四十餘種，自 1950 年到1963 年發表的論文共七千餘篇。

甲乙編都分為語言與語言學、漢語、少數民族語言三部分。每部分又分若干子目，如漢語復分：中國語言學史、漢語、現代漢語、漢語語音、漢語詞匯、漢語語法、修辭寫作翻譯、漢語文字、漢語教學等。每一子目的最後的最後，附有書評篇目。著錄項目為：篇名、作者、報刊簡名以及版日期或卷期。

書前附有"所收報刊一覽表"，書後附"論文集一覽"和"著者姓名索引"。著者索引，又分用漢字署名的著者，用拼音字母署名的作者，外國作者三類。這是

一部對語文學習、語文教學很有的工具書。

六、中國史學論文索引

本索引分上下二篇，中國科學院歷史研究所第一、二所，北京大學歷史系合編，1957 年科學出版社出版。

這本索引從清末到抗日戰爭開始（1900－1937 年 7月）的定期刊物約 1300 餘種當中，選錄有關歷史科學以及各種文化史，科學史的論文共三萬餘篇。著錄項目：篇名、著譯者、刊名、卷期數和出版年月，分類編排。

上編為中國歷史科學論文之部，分為：歷史、人物傳記、考古學、目錄學四大類；下編是各種科學學術史之部，分為：學術思想史、社會科學史、政治科學史、經濟史、文化教育事業史、宗教史、語言文字史、文學史、藝術史、歷史和地理學史、自然科學史、農業史、醫學史、工程技術史等十三大類。同一類目內論文之排列，有依時代的，有依地域的，間亦採用互見。

書後附有輔助索引，把標題或各種專名，如人名、

地名、朝代名等綜合編成筆畫索引，以便查檢。（取材
自《文史哲工具書簡介》）

七、中國近二十年文史哲論文分類索引

　　國立中央圖書館為總結民國三十七年至五十七年二
十年來文史哲學研究之成果，為便利中外學人之索檢參
考，故編定《中國近二十年文史哲論文分類索引》。本
索引以收錄中央圖書館館藏此二十年中所刊行之中文期
刊，有關中國哲學、語言文字學、文學、歷史學、考古
學、民族學及目錄學等之學術論文為限，共收期刊二百
六十一種，論文集三十六種，計二萬三千六百二十六條
目。本索引分為四部分：

　（一）分類表

　　本索引就論文內容，分為哲學類、經學類……等十
　　大門類。

　（二）正文

　　1.本索引就篇名性質予以分類編排，凡同一類者，
　　　概依篇名之筆劃、筆順為序。

　　2.本索引論文記載之款目，包含八目，其著錄之次

序為：類名、篇名編號、篇名、著譯者、刊名、卷期、出版日期、起訖頁次。

3.本索引之哲學家，各依出生年代為序。

4.本索引之傳記類之分傳，其朝代以卒年為準。

(三)著者索引

1.著者索引，依著者姓名筆劃排列，後附所著論文篇名編號。

2.凡論文為係二人合著者，均著錄之。

3.凡機關團體為著者，或同著者先後不同名稱發表，均本所題姓名著錄。

(四)收錄期刊一覽

本索引收錄之期刊，依刊名筆劃為序，記載款目凡七，依著錄之次序為：刊名、刊期、創刊年月、出版地、編輯者、出版者，本索引收錄之卷期及年代。本索引收錄之專書，亦依書名筆劃為序，記載之款目凡六，依其著錄之次序為：書名、編著者、出版日期、出版地、出版者、本索引收錄之冊數等。我們要怎樣利用此書呢？民國五十七年，筆者本人年三十三歲，仍在國立臺灣師範大學國文研究所就讀博士班，想知道當時我有什麼著作，發表在

什麼地方？查陳字十一畫，查「著者索引檢字表」：

陳⋯⋯792

索引第 792 頁陳姓出現，依次在 796 頁看到：

陳新雄　　02899　　03609　　04826

查編號 02899 得到這樣一張表

編號	篇　　名	著譯者	刊　　　名	卷期	頁　　次	出版年月
02899	春秋異文考	陳新雄	師大國文研究所集刊	7	383-536	52.6

再查編號 03609 得下表

編號	篇　　名	著譯者	刊　　名	卷期	頁　　次	出版年月
03609	也談「陰陽對轉」	陳新雄	臺灣風物	10:10-12	37-42	49.12

查編號 04826 則得下表

編號	篇　　名	著譯者	刊　　名	卷期	頁　　次	出版年月
04826	文則論	陳新雄	慶祝高郵高仲華先生六秩誕		1163-1184	57.3

			辰論文集 (下)			

　　筆者個人尚在求學，自然著述無多。先師林尹教授
著述不少。著者索引八劃下：

林 尹　00158　00159　00512　00774　01954

02571　02572　03206　03620　03621　03640

03660　04012　04024　04119　04208　04232

17996　18002　19700　22523　22536　22537

編號	篇　　名	著譯者	刊　　名	卷期	頁　　次	出版年月
00158	清代學術思想 史引言	林　尹	幼獅學誌	5:1	1-16	55.8
00159	清代學術思想 史引言	林　尹	師大學報	7	101-110	51.6
00512	儒家之淵源與 中心思想	林　尹	文風	6	5	54.1
00774	孔孟學說的真 諦	林　尹	孔孟月刊	1:1	11-12	51.9
01954	顧炎武之學術 思想	林　尹	師大學報	1	139-150	45.6
02571	尚書述略	林　尹	國立政治 大學卅週 年紀念論		327-328	46,5

			文集			
02572	尚書述略	林　尹	華岡學報	1	23-38	54.6
03206	論語為政篇「孔子曰攻乎異端斯害也已」研究	林　尹	孔孟月刊	1:12	19-28	52.8
03620	中國聲韻學研究方法與效用	林　尹	學粹	3:1	20-23	49.12
03621	中國聲韻學概說	林　尹	教育與文化	9:5	10-14	44.10
03640	切韻韻類考正	林　尹	師大學報	2	137-186	46.6
03660	音學略說	林　尹	學粹	1:4	14-18	48.6
04012	中國文字之認識方法	林　尹	文風	5	16-17	53.6
04024	中國文字與文字	林　尹	幼獅	26:5	20-22	56.11
04119	形聲釋例	林　尹	學粹	4:4	20-21	51.6
04208	中國文字之功效與共匪消滅漢字之陰謀	林　尹	教育與文化	10:5	19-20	44.12
04332	我體驗到的變革中國文字問題	林　尹	建設	3:9	38-39	44.3
17996	章太炎先生傳	林　尹	中文學會學報	7	1-5	55.8
18002	章炳麟	林　尹	中國文學史論集	4	1281-1304	47.4
19700	錢玄同傳略	林　尹	大陸雜誌	25:12	13	51.2

22523	中國文字改革與漢字前途序	林　尹	學粹	9:5	26-27	56.8
22536	說文二徐異訓辨序	林　尹	學粹	6:4	26	53.12
22537	說文二徐異訓辨序	林　尹	師大學報	9	45-46	53.6

我另外一位老師潘重規先著述更多，十五畫有：

潘重規

編號	篇　　　名	著譯者	刊　　　名	卷期	頁　　次	出版年月
00578	儒家學說之精義	潘重規	人生	22:4	2-7	50.7
00630	孔子孝的學說	潘重規	中國學術史論集	1	1-8	45.10
01027	王先謙荀子集解訂補	潘重規	師大學報	1	49-66	45.6
02358	五經正義探源	潘重規	華岡學報	1	13-22	54.6
02589	尚書舊疏新考	潘重規	學術季刊	4:3	1-10	45.3
02726	朱子詩序舊說敘錄	潘重規	新亞書院學術年刊	9	1-22	56.9
02729	詩序明辨	潘重規	學術季刊	4:4	20-25	45.6
02960	春秋公羊疏作者考	潘重規	學術季刊	4:1	11-18	44.9
03672	隋劉善經四	潘重規	新亞書院	4	307-325	51.9

	聲指歸定本義		學術年刊			
03674	集韻聲類表述例	潘重規	新亞書院學術年刊	6	133-226	53.9
04049	可憐的國字	潘重規	中國語文	1:1	10-15	41.4
04165	說文約論	潘重規	新亞書院學術年刊	5	1-26	52.7
04187	史籀篇非周宣王時太史籀所作辨	潘重規	新亞學報	5:1	461-494	
04241	揭開共匪文字改革的陰謀	潘重規	教育與文化	10:5	8-9	44.12
04276	訓詁與繙繹	潘重規講梁中英記	新亞生活	4:9	1-2	50.11
04283	新訓詁學之一	潘重規	中國語文	1:2	40-41	41.5
04284	新訓詁學之二	潘重規	中國語文	1:3	30-31	41.6
04538	中國文字整理途徑與教學方法之商榷	潘重規講梁中英記	新亞生活	5:6	1-2	51.9
04605	中國文學	潘重規	中國文化論集	1	124-131	42.3
04606	中國文學	潘重規	中國文化論集	2	307-327	43.12
04649	新舊文學與	潘重規講	新亞生活	5:3	4-5	51.7

	文學新舊	梁中英記				
04786	談文學欣賞	潘重規講 梁中英記	新亞生活	4:14	6-7	51.3
05019	亭林詩文用 南明唐王隆 武紀年考	潘重規	新亞書院 學術年刊	8	19-30	55.9
05205	群賢群輔錄 新箋	潘重規	新亞書院 學術年刊	7	305-335	54.9
05567	怎樣學詩	潘重規	大學生活	2:5	14-16	45.9
05645	樂府詩粹箋 （一）	潘重規	人生	24:2	15-17	51.6
05646	樂府詩粹箋 （二）	潘重規	人生	24:3	24-25	51.6
05647	樂府詩粹箋 （三）	潘重規	人生	24:4	15-16	51.7
05648	樂府詩粹箋 （四）	潘重規	人生	24:5	22-23	51.7
05649	樂府詩粹箋 （五）	潘重規	人生	24:6	25-26	51.8
05650	樂府詩粹箋 （六）	潘重規	人生	24:7	21-22	51.8
05651	樂府詩粹箋 （七）	潘重規	人生	24:8	25	51.9
05706	陶淵明蠟日 詩解	潘重規	人生	28:2	7-8	53.6
05707	陶淵明蠟日 詩解	潘重規	中國文化	1	31-32	42.3
05712	陶詩析疑	潘重規	清華學報	7:1	214-224	57.8

06008	亭林詩鉤沈	潘重規	新亞學報	4:1	331-386	48.8
06009	亭林詩發微	潘重規	新亞學報	4:1	387-400	48.8
06010	亭林隱語詩發微(上)	潘重規	暢流	19:3	2-4	48.3
06011	亭林隱語詩發微(下)	潘重規	暢流	19:4	7-9	48.4
06012	亭林隱語詩芻論	潘重規	新亞書院學術年刊	3	1-16	50.9
06013	顧亭林元日詩之研究	潘重規	新亞生活	4:19	4-5	51.5
06484	我國的散文	潘重規	中國一週	453	6-7	47.12
06698	三話紅樓夢——答胡適之先生(上)	潘夏(潘重規)❶	反攻	50	16-20	40.12
06699	三話紅樓夢—答胡適之先生(中)	潘夏(潘重規)	反攻	51	9-12	41.1
06700	三話紅樓夢——答胡適之先生(下)	潘夏(潘重規)	反攻	52	18-23	41.1
06701	三話紅樓夢附錄——清文字獄檔	潘夏(潘重規)	反攻	54	14-16	41.2
06707	民族血淚鑄成的《紅樓	潘夏(潘重規)	反攻	37	18-23	40.5

❶ 潘夏即潘重規筆名，括號內潘重規三字筆者所加，後仿此。

	夢》（上）					
06708	民族血淚鑄成的《紅樓夢》（下）	潘夏（潘重規）	反攻	38	19-24	40.5
06709	再話紅樓夢	潘夏（潘重規）	反攻	43	12-16	40.8
06733	紅樓夢的凡例	潘重規	暢流	19:1	2-4	48.2
06762	紅樓夢答問（一）	潘重規	大學生活	1:11	15-21	45.3
06763	紅樓夢答問（二）	潘重規	大學生活	1:12	44-48	45.4
06764	紅樓夢答問（三）	潘重規	大學生活	2:1	30-33	45.5
06765	紅樓夢答問（續三）	潘重規	大學生活	2:2	45-47	45.6
06776	「紅學」五十年	潘重規	中正學報	1	37-40	56.5
06777	「紅學」五十年	潘重規	新亞生活	9:1	1-5	54.10
06780	高鶚補作紅樓夢後四十回的商榷	潘重規	新亞學報	8:1	367-382	56.2
06793	乾隆鈔本百廿回紅樓夢稿題簽商榷	潘重規	大陸雜誌	34:9	5-6	56.5
06798	從肪硯齋評本推測紅樓	潘重規	暢流	19:6	6-8	48.8

	夢的作者					
06803	閒話紅樓夢	潘重規	暢流	6:10	20-21	42.1
06825	論「乾隆抄本百廿回紅樓夢稿」的楊又雲題字	潘重規	大陸雜誌	35:1	12-14	56.7
06832	續談「乾隆抄本百廿回紅樓夢稿」中的楊又雲題字	潘重規	大陸雜誌	35:4	4-7	56.8
06833	續談新刊乾隆抄本百廿回紅樓夢稿	潘重規	大陸雜誌	31:4	1-6	54.8
06834	讀「乾隆抄本百廿回紅樓夢稿」	潘重規	大陸雜誌	30:2	1-7	54.1
07169	史記伯夷列傳稱「其傳曰」考釋	潘重規	大陸雜誌	18:5	1-3	48.3
07174	史記記事終訖年限考（上）	潘重規	大陸雜誌	18:7	1-3	48,4
07175	史記記事終訖年限考（下）	潘重規	大陸雜誌	18:8	12-16	48.4
07188	史記導論	潘重規	新亞書院學術年刊	2	1-36	49.9

07189	史記導論 （上）	潘重規	大陸雜誌	21:8	1-7	49.10
07190	史記導論 （中）	潘重規	大陸雜誌	21:9	23-28	49.11
07191	史記導論 （下）	潘重規	大陸雜誌	21:10	12-14	49.11
12129	孔子的教學 精神	潘重規	人生	20:11	7-9	49.10
14891	群賢群輔錄 真偽辨	潘重規	大陸雜誌	29:10	101-104	53.12
15217	陶淵明世系 析疑	潘重規	新亞生活	5:17	3-5	52.3
15218	陶淵明年歲 析疑	潘重規	思想與時 代	102	7-11	52.1
15219	陶淵明年歲 析疑	潘重規	新亞生活	5:10	1-3	51.11
15221	陶淵明的人 格與詩格	潘重規	人生	32:3	7-11	56.7
15959	亭林元日詩 表微	潘重規	大陸雜誌 特刊	2	451-456	51.5
16192	東塾先生之 治學精神	潘重規	民主評論	5:23	57-59	43.12
16603	于右任先生 的標準草書	潘重規	中國一週	209	8-10	43.4
17993	章太炎之氣 節	潘重規	中國一週	558	23-25	50.1
20813	國立中央圖 書館所藏敦	潘重規	新亞學報	8:2	321-373	57.8

	煌卷子題記					
20950	從中國文字看中國民族性	潘重規	新亞生活	3:13	2-3	50.1
20951	從中國文字看中國民族性	潘重規	學粹	7:3	41-42	54.4
22270	聖賢群輔錄真偽辨	潘重規	新亞生活	7:10	4-6	53.11
22387	敦煌毛詩詁訓傳殘卷題記	潘重規	新亞書院學術年刊	10	77-95	55.9
22472	敦煌唐寫本尚書釋文殘卷跋	潘重規	學術季刊	3:3	15-29	44.3
22591	新編紅樓夢脂硯齋評語輯校序	潘重規	紅樓夢研究專刊	4	1-4	57.9
22598	樂府詩粹箋序	潘重規	人生	26:12	16-18	52.11

　　由上三表可知，筆者因為尚在就讀，故只得三篇。先師林景伊（尹）先生，中年從政，因政務牽絆，故著作較少。而先師潘石禪（重規）先生一生從於教育與學術研究，從未間斷，故其著作豐碩，亦所以啟示吾人治學應持之以恒，鍥而不舍，則成果自然豐碩也。

第十三章　檢查篇章的工具書

一、全上古三代秦漢三國六朝文

　　清嘉慶年間開全唐文館，編輯一部千卷之《全唐文》，當代名儒，均邀參加，可均以未邀請，心中不平，乃以一己用二十七年之心力，獨自編成《全上古三代秦漢三國六朝文》，起自上古，下接全唐。此書長處，乃在其全。嚴氏云：「廣搜三分書，與夫收藏家祕笈，金石文字，遠而九譯，鴻裁巨製，片語單辭，罔弗綜錄，省并複疊，聯類畸零。作者三千四百九十七人，分代編次為十五集，合七百四十六卷。」此書總目如下：

　　全上古三代文十六卷　二百六人
　　全秦文一卷　　　　　　十六人

全漢文六十三卷　　三百三十四人

全後漢文一百六卷　　四百七十人

全三國文七十五卷　　二百九十四人

全晉文一百六十七卷　八百三十人

全宋文六十四卷　　二百七十八人

全齊文二十六卷　　一百三十一人

全梁文七十四卷　　二百四人

全陳文十八卷　　六十三人

全後魏文六十卷　　三百二人

全北齊文十卷　　八十四人

全後周文二十四卷　　六十一人

全隋文三十六卷　　一百六十八人

先唐文一卷　　五十四人

每卷之前皆有作者細目，作為查索之用。

　　例如我們讀《昭明文選・劉孝標・廣絕交論》：
「客問主人曰：『朱公叔〈絕交論〉為是乎！為非
乎！』」朱公叔是朱穆之字，我們想要知道朱穆的〈絕
交論〉全文，可第四集〈全後漢文〉目錄，看到朱穆，
下注以上卷二十八，可知朱穆在〈全後漢文〉二十八卷

之末，翻到二十八卷之末，果有朱穆〈絕文論〉。

中文出版社出版的《全上古三代兩漢三國六朝文》書後附有《篇名目錄》與《作者索引》。

《篇名目錄》以作者為綱，作者以下分篇目，作者及篇目的次序依原書，篇目下的數字為影印本的總頁數。

《作者索引》以姓氏的四角號碼為序。若不諳四角號碼者，前有《索引字頭筆畫檢字》，每字之下，注明四角號碼，則可據此以索其作者。例如「朱穆」，查朱字為六畫，在六畫下有朱字下注 2590_0，這就是朱字的四角號碼，查索引 2590_0 朱下，有 26~穆後漢28 628，這就告訴我們朱穆在總頁碼六二八頁，《全後漢文》的二十八卷。

二、欽定全唐文

清董浩、戴衢亨、曹振鏞等奉嘉慶帝敕撰，全書採集《四庫全書》、《永樂大典》、《文苑英華》、《唐文粹》等書中唐代三千零四十二人文章一萬八千四百八十四篇編成。因為大部分文章出于《文苑英華》，所以

一律不注出處。總計全書 1000 卷，序例 1 卷，總目三卷，姓氏韻編一卷。

　　大通書局版在第二十冊末，附有筆劃索引以作者姓名筆畫為序，每一作者主名下，注有卷數、冊數及頁數，翻檢起來，還算方便。譬如們想查王勃的文章，就可先查索四畫「王」字，可找到

　　王勃，下注一七七，四，二二六七

那表示王勃的文章，在《全唐文》的一七七卷，第四冊，二二六七頁。

三、全漢三國晉南北朝詩

　　無錫丁福保編纂，全書分為部：茲錄其目如下：

第一部全漢詩：卷一至卷五。

第二部全三國詩：卷一至卷六。

第三部全晉詩：卷一至卷八。

第四部全宋詩：卷一至卷五。

第五部全齊詩：卷一至卷四。

第六部全梁詩：卷一至卷十四。

第七部全陳詩：卷一卷四。

第八部全北魏詩。

第九部全北齊詩。

第十部全北周詩：卷一至卷二。

第十一部全隋詩：卷一至卷四。

我們讀到杜甫詩〈詠懷古跡五首〉之一：

> 支離東北風塵際，漂泊西南天地間。三峽樓臺淹日月，五溪衣服共雲山。羯胡事主終無賴，詞客哀時且未還。庾信生平最蕭瑟，暮年詩賦動江關。

這首詩的庾信，可查目錄第十部全北周詩卷二，此卷全部都是庾信的詩。

四、全唐詩

清聖祖康熙皇帝敕撰，聖祖〈御製全唐詩序〉曰：「朕茲發內府所有全唐詩，命諸詞臣，合《唐音統籤諸

編》參互校勘，蒐補缺遺。略去初、盛、中、晚之名，一依時代分置次第，其人有通籍登朝，歲月可考者，以歲月先後為斷，無可考者，則援據詩中詩中所詠之事，與所同時之人繫焉。得詩四萬八千九百餘首，凡二千二百餘人，釐為九百卷。於是唐三百年詩人之菁華，咸采備薈萃於一編之內，亦可云大備矣。」

《全唐詩》序次之例，首諸帝，次后妃，次宗室諸王，次公主宮嬪，略依唐史序例。至南唐、吳越、閩、蜀諸國主，附諸主之後，妃附宮嬪之後。

明倫版的《全唐詩》在十二冊末附有「作者索引」，作者索引係按作者首字筆畫排列，每一字下的數字，粗體數字指冊數，普通數字為頁數。例如我們要找「王勃」，在索引四畫下有

王勃　2　669

就表示說王勃在《全唐詩》第二冊六六九頁。翻《全唐詩》第二冊六六九頁，果然有王勃，他的詩從第二冊六六九頁《全唐詩》卷五十五起，至卷五十六，第二冊的六八五頁止。所以檢查也算方便。

五、全宋詞

　　是編在彙輯有宋一代詞作，全書錄入詞人一千三百三十餘家，詞作一萬九千九百餘首。是編以作者為經，以時代先後為序。明倫版《全宋詞》五冊後附有作者索引，以作者首字筆畫為排序，每一作者之下，括號內的數字為冊數，冊數下為頁數。例如我們知道晏幾道有多少詞作？就可以查「作者索引」。晏字十畫，在十畫下有「晏幾道」，下注(1)二二一。那就是說晏幾道的詞在《全宋詞》的第一冊二二一頁，一直到二五九頁。

六、清代文集篇目分類索引

　　王有三摘錄清代文集四百四十種，別集四百二十八種，總集十二集。輯其目為《清代文集篇目分類索引》，書分三編，曰學術文之部，這一部分學術文又分為經史子集四類，每類復分通論、專書、序跋三小類。曰傳記文之部，又分為傳、狀、志、贈序、壽序、哀誄、銘贊等類，每類按被傳者姓名筆畫序例。曰雜文之部。又分書啟，碑記、賦、雜文四類。以撰者為綱，依

年代序列。每部分之前各冠以分類之目。例如：

(一)學術文之部

　　釋連山　汪中《述學內篇》2/1b

(二)傳記文之部

　　丁君松生家傳　俞樾《春在堂雜文》六編
　　2/29a

(三)雜文之部

　　與潘次耕札　顧亭林《亭林全集》五篇 1/26a

書名後所標 2/1b，2/29a，1/26a，隔線前的數字是所在卷數，隔線後的數字是在這一卷的頁數，a、b 是這一頁的前或後。全書前有所收到文集目錄、文集提要，文集作者索引。

七、清文匯

　　《清文匯》是清代散文總集。《清文匯》由國學扶輪社沈粹芬、黃人諸公於清末選輯編定，原名為《國朝文匯》，全書二百卷，分五集。甲前集二十卷，收明末遺民作品；甲集六十收順治、康熙、雍正三朝人作品；

乙集七十卷，收乾隆、嘉慶兩朝人作品；丙集三十卷，收道光、咸豐兩朝人作品；丁集二十卷，收同治光緒兩朝人作品。是編以人名先後為次序，每卷之前先列該卷所收作者篇章＝目序。檢查還算方便。

八、清詩匯

《清詩匯》原名《晚晴簃詩匯》為清代詩歌總集，都二百卷，徐世昌編。徐世昌（1855-1939）字卜五，號菊人，又號弢齋。直隸天津（今天津市）人，光緒進士，授翰林院庶吉士。清末協助袁世凱創辦北洋軍，官至體仁閣大學士。辛亥革命後，出袁世凱國務卿，1918年被選為中華民國總統。1922 年第一次直奉戰爭後，被迫下臺。晚年居於天津，聚集文士，主持編纂了《清儒學案》等典籍二十餘種，於學術之發揚頗具貢獻，異於一般只會殺人放火的軍閥。其總目錄除以先後次序排列外，尚編有《姓氏韻編目錄》依作者姓氏按《詩韻》一〇六韻排列，檢索尚稱方便。例如我們要查「洪亮吉」，洪屬一東韻，在一東韻下可查得：

洪亮吉　下注江蘇陽湖一百八。

那就是說洪亮吉的詩在《清詩匯》一百零八卷，查一百零八卷，有一小目錄

洪亮吉三十三首二

這就是說《清詩匯》一百零八卷所收第一位詩人就是洪亮吉，共收他的詩三十三首。並附洪亮吉的小傳。

第十四章　檢查政典之屬的工具書

一、通典

是書二百卷，唐杜佑撰。采五經、諸史及文集奏疏，上溯黃帝，下至唐天寶之末。分為食貨、選舉職官等八類，每類又各分子目。每事以類相從，舉其始終，歷代沿革廢置及當時群士論議得失，皆附於事後，而不參以己見。《四庫全書總目提要》提要，列入政書類，並謂「考唐以前之掌故者，茲編其淵海」，而於禮制，尤為詳備。原分八門，後人析兵刑為二，合為九門。茲表列於下：

卷1－12	食貨	卷13－18	選舉	卷19－40	職官
卷41－140	禮	卷141－147	樂	卷148－162	兵
卷163－170	刑	卷171－184	州郡	卷185－200	邊防

《續通典》欽定 150 卷，清乾隆三十二年敕撰，此為續杜氏《通典》而作，起唐肅宗至德元年，終明崇禎末年。門類體例，一仍杜氏之舊。

《皇朝通典》100 卷，乾隆三十二年敕撰，是書分門隸事，一仍杜氏之舊。

二、通志

是書宋鄭樵所撰，共 200 卷。仿《史記》之例，求貫通之恉，網羅舊聞，參以新意，冀從上古至隋唐，分紀、譜、略、傳四門，綜為通史，稍為移掇，大抵因仍舊目，年譜仿《史記》諸表之例，略則史志之別名。自序謂欲「總天下之大學術，而條其綱目，名之曰略，凡二十略，百代之憲章，學者之能事，盡於此。」然「其生平之精力，全帙之菁華，惟在此二十略而已。」今表列其總目，以便尋檢。

卷1－18　帝紀	卷19－20　后妃	卷21－24　年譜
卷25－30　氏族略	卷31－35　六書略	卷36－37　七音略
卷38－39　天文略	卷40　　地理略	卷41　　都邑略
卷42－45　禮略	卷46　　謚略	卷47－48　器服略

卷49－50　樂略	卷51－57　職官略	卷58－59　選舉略
卷60　　　刑法略	卷61－62　食貨略	卷63－70　藝文略
卷71　　　校讎略	卷72　　　圖譜略	卷73　　　金石略
卷74　　　災祥略	卷75－76　昆蟲草木略	卷77　　　周同姓世家
卷78－85　宗室傳	卷86－87　周異姓世家	卷88－164列傳
卷165　　　外戚傳	卷166　　　忠義傳	卷167　　　孝友傳
卷168　　　獨行傳	卷169－170循吏傳	卷171　　　酷吏傳
卷172－174儒林傳	卷175－176文苑傳	卷177－178隱逸傳
卷179　　　宦者傳	卷180　　　游俠傳	卷181－183藝術傳
卷184　　　佞幸傳	卷185　　　列女傳	卷186－193載記
卷194－200四夷傳		

　　《續通志》欽定 640 卷，乾隆三十二年敕撰。是書
分紀傳譜略；紀傳自五代始，皆本鄭氏《通志》之體，
參考正史《通鑑綱目》、《紀事本末》及傳記文集，依
類增輯，並考正異同，斟酌損益。

　　《皇朝通志》126 卷，乾隆三十二年敕撰。是書仿
鄭樵《通志》例，祇作二十略，無紀傳年譜。二十略之
名，則一仍其舊。

三、文獻通考

　　馬端臨撰，共 348 卷。是書以通典為藍本，增廣門類，曰田賦、錢幣、戶口、職役、征榷、市糴、土貢、國用、選舉、學校、職官、郊社、宗廟、王禮、樂、兵、刑、輿地、四裔；其自序云：「俱效《通典》之成規，自天寶以前，則增益其事迹之所未備，離析其門類之所未詳。自天寶以後，至宋嘉定之末，則續而成之，曰經籍、曰帝系、曰封建、曰物異；則《通典》原未有論述，而採摭諸書以成之者也。凡敘事則本之經史，而參之以歷代會要，以及百家傳記之書，信而有證者存之，乖異傳疑者不錄，所謂文也。凡論事，則先取當時臣僚之奏疏，次及近代諸儒之評論，以至名流之燕談，稗官之記錄，凡一話一言可以訂典故之得失，證史傳之是非者，則採而錄之，所謂獻也。其載諸史傳之記錄而可疑。稽諸先儒之論辨而未當者，研精覃思，悠然有得則竊著己意，附其後焉。命其書曰《文獻通考》，為門二十有四，卷三百四十有八，而以每門著述之成規，考訂之新意，各以小序詳之。」茲表列其目如下：

冊 1		總目	卷 1－7		田賦考	卷 8－9		錢幣考
卷 10－11		戶口考	卷 12－13		職役考	卷 14－19		征榷考
卷 20－21		市糴考	卷 22		土貢考	卷 23－27		國用考
卷 28－39		選舉考	卷 40－46		學校考	卷 47－67		職官考
卷 68－90		郊社考	卷 91－105		宗廟考	卷 106－127		王禮考
卷 128－148		樂考	卷 149－161		兵考	卷 162－173		刑考
卷 174－249		經籍考	卷 250－259		帝系考	卷 260－277		封建考
卷 278－294		象緯考	卷 295－314		物異考	卷 315－323		輿地考
卷 324－348		四裔考	末附《文獻通考訂誤》一冊					

　　《續文獻通考》欽定 250 卷，乾隆十二年敕撰。是書自宋寧宗以後，訖明莊烈帝以前，採宋遼金元明五朝事蹟議，彙為一編，體例一本馬氏《通考》之舊。

　　《皇朝文獻通考》300 卷，乾隆十二年敕撰，是書宗馬氏《通考》由原目二十四門增群廟一門。其中子，田賦增八旗壯丁；土貢增外藩；學校增八旗學官；宗廟增崇奉聖容之禮；封建增蒙古王公，皆以清制所有而加。市糴刪均輸、和買、和糴；選舉刪童子科，兵考刪車戰。皆以清制所無而省，其他大同小異之處。可參見《四庫全書總目》卷八十一，史部政書類提要。

第十五章　檢查歷代官制的工具書

一、歷代職官表

　　清紀昀等奉敕撰，黃本驥重編。當我們閱讀歷史及古籍時，常遇到各種不同官職名稱，這些官職的興廢、品級、職掌的變遷，額的增減等，極為複雜，本書即為檢查上述問題的工具書，將每一種職官編為一表，以代官制為綱，歷代沿革分列於下，自三代以迄明朝，凡十八代（清為十九）。以此表格展示，對於歷代官制的沿革，可一目了然。清人黃本驥據紀昀等奉敕撰歷代職官表刪除其釋文而成，原書為七十二卷，本書僅存六卷，其要目如下：

　　卷一：宗人府、內閣、吏部、戶部、禮部、樂部。

卷二：兵部、刑部、工部、理藩院、都察院、大理
　　　　寺。

卷三：翰林院、大常寺、光祿寺、順天府、國子
　　　　監。

卷四：內務府、鑾儀衛、八旗都統、步軍統領。

卷五：盛京將軍等官、總督、巡撫、學政、知府、
　　　　直隸知州等官。

卷六：河道各官、漕運各官、鹽政、王府各官、新
　　　　疆各官。

　　為了使讀者瞭解歷代官制的沿革，和青中所列職官
的職掌，演變的情況，附有「歷代官制概述」、「歷代
職官簡釋」二文，前者刊於表前，以便讀者在檢閱表文
之前，對於歷代官制先有一個概括性的認識。後者附於
表後，係解釋表文，按職官名稱的筆劃排列。此外，再
附有四角號碼索引，以官名末一字的四角號碼排列，又
別有筆劃檢字及拼音檢字表。

　　今錄《歷代職官表》卷二內閣上大學士表以見例：

大　　學　　士	
三代	相
秦	丞相相國
漢	相國丞相大司徒大司馬大司空
後漢	大尉司徒司空尚書令
三國	蜀漢丞相尚書令　魏司徒大丞相相國中書監中書令　吳左右丞相
晉	丞相相國司徒中書監中書令
宋齊梁陳	丞相相國尚書令左右僕射侍中中書監中書令
北魏	丞相司徒侍中尚書令中書監
北齊	丞相侍中尚書令中書監
後周	大丞相大冢宰
隋	內史訥言
唐	尚書令訥言內史令中書令侍中左右僕射同中書門下三品左相右相同中書門下平章事
五季	同中書門下平章事
宋	同中書門下平章事左右僕射太宰少宰左右丞相
遼	南北府左宰相南北府右宰相中書令左丞相右丞相知中書事同中書門下平章事左右僕射侍中南北府總佑軍國事
金	尚書令左丞相右丞相平章政事左右僕射領三省事侍中中書令
元	中書令左丞相右丞相平章政事平章軍國重事
明	中書左丞相中書右丞相內閣大學士案明自胡惟庸謀逆始罷丞相官尋改內閣說詳後❶

---

❶ 明初尚沿舊制，置中書左右丞相，自胡惟庸謀逆事覺，始革中書省，歸其政於六部。歷代所謂宰相之官，由此遂廢不設。雖嘗仿唐宋集賢院資政之制，置大學士，亦僅備顧問，並不與知國政，至成祖肇置內閣，始以翰林入直，洊升大學

二、清季職官表

　　魏秀梅編，以清季職官為經，歷任官員為緯，按時間先後（中西曆）予以排列。官職分中央職官及京外高級職官二種，再紀其任職官員姓名，任職、離職年月日，離職原因，每稱官職，均注明其設立改日期。

　　書後附人物錄，按注音符號排列，每人備列姓名字號、籍貫、出身、簡歷、生卒、諡號及所據資料來源等。另附人物索引，依羅馬拼音排列，本書尚稱完備。

　　士，然秩止五品而已，仁宣以後，大學士往往晉階保傅，品位尊崇，閣權漸重，用非其人，閒有倒持太阿授之柄者，而核其司存所在，不特非秦漢丞相之官，亦并非漢唐以來三省之職任矣。

第十六章　檢查方言詞匯語音與行業語之工具書

一、漢字古今音表

《漢字古今音表》敘例

一、《漢字古今音表》（以下簡稱《音表》）收漢字 9 千個左右，其中《詩經》用字 2826 個，《中原音韻》收的 5869 個漢字全收。

二、《音表》以中古音《廣韻》排頭，因為這個音系有韻書為根據，再者，用這個音系上可推周秦古音，下可與近代音系，現代音系做比較，現代漢語各個方言的語音現象，大都可以從《廣韻》這個語音系統得到解釋。

《音表》排列的次序是中古音，上古音，近代音，現代音。其中現代音的次序是：普通話（代表北方方

言），吳語（蘇州話），湘語（長沙話），贛語（南昌話），客家話（梅縣話），粵語（廣州話），閩東話（福州話），閩南話（廈門話）。

按說，每個漢字都應列示出它在各個歷史時期的讀音情況，但實際上卻無法完全做到，因為有些漢字是後起字，早期並無記錄，有些漢字某一時期的韻書不收。至於各方言，通常只有常用的漢字有音讀記錄，所以一部分字的讀音無法自始貫終。這就是說，一部分字會出現某一時期，和某幾個方言音讀闕如的現象。不過，讀者可以根據中古音和某一時期或某個方言的語音對應規律對一些空闕的音讀做補充。

三、《音表》中古音包括：韻攝、開合、等、聲調、韻部、聲紐、反切、詩韻韻部，擬音。

上古音和現代音包括：韻部、聲紐、聲調和擬音。

現代音普通話包括：韻部、聲母、聲調和讀音，其他方言只列示讀音。

四、上古音系及其擬音，目前學術界意見不一，《音表》以王力先生《漢語史稿》（修訂本）上冊的上古音系及擬音為基礎，參照郭錫良先生的《漢字古音手冊》，個別擬音稍作修改。

聲調採用四聲說，音系及擬音如下（聲母送氣音符號改-h，便於抄寫。下均同）：

聲紐表（32 紐）

發音方法 / 發音部位	塞音 清音 不送氣音	塞音 清音 送氣音	塞音 濁音	鼻音 濁音	邊音 濁音	塞擦音 清音 不送氣音	塞擦音 清音 送氣音	塞擦音 濁音	擦音 清音	擦音 濁音
雙脣音（脣音）	幫 p	滂 ph	並 b	明 m						
舌尖中音（舌頭音）	端 t	透 th	定 d	泥 n	來 l					
舌面前音（舌上音）	章 ȶ	昌 ȶh	船 ȡ	日 ȵ	餘 ʎ				書 ɕ	禪 ʑ
舌尖前音（齒頭音）						精 ts	清 tsh	從 dz	心 s	邪 z
舌葉音（正齒音）						莊 tʃ	初 tʃh	崇 dʒ	生 ʒ	
舌根音（牙喉音）	見 k	溪 kh	羣 g	疑 ŋ					曉 h	匣 ɣ
喉音	影 ø									

韻部表（30 部）

陰聲韻	入聲韻	陽聲韻
之 ə	職 ək	蒸 əŋ
幽 u	覺 uk	冬 uŋ
宵 au	藥 auk	
侯 ɔ	屋 ɔk	東 ɔŋ
魚 a	鐸 ak	陽 aŋ
支 e	錫 ek	耕 eŋ

脂 ei	質 et	真 en
微 əi	物 ət	文 ən
歌 ai	月 at	元 an
	緝 əp	侵 əm
	葉 ap	談 am

　　韻部的等呼及韻頭擬音：

開口一等無韻頭　合口一等 -u-

開口二等 -e-　　　合口二等 -o-

開口三等 -ĭ-　　　合口三等 -ĭw-

開口四等 -i-　　　合口四等 -ĭw-

聲調及標誌（4 個）：平聲① 上聲② 去聲③ 入聲④

　　五、中古音系的韻攝等呼根據中國社會科學院語言研究所《方言調查字表》（修訂本）。39 個聲母，韻部及韻母的擬音以王力先生《漢語史稿》（修訂本）上冊為基礎，但全濁聲母為不送氣音，日母為 r。

聲紐表（39 個聲母，擬音 35 個）

發音方法	塞　音			鼻音	邊音	閃音	塞擦音			擦　音	
	清音		濁音	濁音			清音		濁音	清音	濁音
發音部位	不送氣音	送氣音					不送氣音	送氣音			
雙脣音 （脣音）	幫 p （非）	滂 ph （敷）	並 b （奉）	明 m （微）							
舌尖中音 （舌頭音）	端 t	透 th	定 d	泥 n	來 l						

舌面音 (舌上音)	知 t	徹 th	澄 d							
舌尖前音 (齒頭音)						精 ts	清 tsh	從 dz	心 s	邪 z
舌葉音 (正齒音)						莊 tʃ	初 tʃh	崇 dʒ	生 ʃ	
舌面音 (舌齒音)					日 ʐ	章 tɕ	昌 tɕh	船 dʑ	書 ɕ	禪 ʑ
舌根音 (牙音)	見 k	溪 kh	羣 g	疑 ŋ					曉 h	匣 ɣ
喉音 (喉音)	影 ø			餘 j						

韻部及韻母表（206韻，141個韻母）

1　東董送 uŋ、ĭuŋ　　　　屋 uk、ĭuk

2　冬○宋 uoŋ　　　　　沃 uok

3　鍾腫用 ĭwoŋ　　　　燭 ĭwok

4　江講降 ɔŋ　　　　　覺 ɔk

5　支紙寘 ĭe、ĭwe

6　脂旨至 i、wi

7　之止志 ĭə

8　微尾未 ĭəi、ĭwəi

9　魚語御 ĭo

10　虞麌遇 ĭu

11　模姥暮 u

12　齊薺霽 iei、iwei

13　○○祭 ĭɛi、ĭwɛi

14　○○泰 ɑi、uɑi

15　佳蟹卦 ai、wai

16　皆駭怪 ɐi、wɐi

17　○○夬 æi、wæi

18　灰賄隊 uɒi

19　咍海代 ɒi

20　○○廢 ĭɐi、ĭwɐi

21　真軫震 ĭěn　　　　　　質 ĭět

22　諄準稕 ĭuěn　　　　　術 ĭuět

23　臻○○ ĭen　　　　　　櫛 ĭet

24　文吻問 ĭuən　　　　　物 ĭuət

25　欣隱焮 ĭən　　　　　　迄 ĭət

26　元阮願 ĭɐn、ĭwɐn　　月 ĭɐt、ĭɐt

27　魂混慁 uən　　　　　　沒 uət

28　痕很恨 ən　　　　　　○

29　寒旱翰 ɑn　　　　　　曷 ɑt

30　桓緩換 uɑn　　　　　　末 uɑt

31　刪潸諫 an、wan　　　　鎋 at、wat

32　山產襉 æn、wæn　　　　黠 æt、wæt

33　先銑霰 ien、iwen　　　　屑　iet、iwet

34　仙獮線 ǐɛn、ǐwɛn　　　　薛　ǐɛt、ǐwɛt

35　蕭篠嘯 ieu

36　宵小笑 ǐɛu

37　肴巧效 au

38　豪皓號 ɑu

39　歌哿箇 ɑ

40　戈果過 uɑ、ǐɑ、ǐuɑ

41　麻馬禡 a、ǐa、wa

42　陽養漾 ǐaŋ、ǐwaŋ　　　藥　ǐak、iwak

43　唐蕩宕 ɑŋ、uɑŋ　　　　鐸　ɑk、uɑk

44　庚梗映 ɐŋ、ǐɐŋ、wɐŋ、ǐwɐŋ 陌　ɐk、ǐɐk、wɐk

45　耕耿諍 æŋ、wæŋ　　　　麥　æk、wæk

46　清靜勁 ǐɛŋ、ǐwɛŋ　　　昔　ǐɛk、ǐwɛk

47　青迥徑 ieŋ、iweŋ　　　　錫　iek、iwek

48　蒸拯證 ǐəŋ　　　　　　　職　ǐək、ǐwək

49　登等嶝 əŋ、uəŋ　　　　　德　ək、uək

50　尤有宥 ǐəu

51　侯厚候 əu

52　幽黝幼 iəu

53　侵寢沁 ǐem　　　　　　緝 ǐep

54　覃感勘 ɒm　　　　　　　合 ɒp

55　談敢闞 ɑm　　　　　　　盍 ɑp

56　鹽琰豔 ǐɛm　　　　　　　葉 ǐɛp

57　添忝桥 iem　　　　　　　帖 iep

58　咸豏陷 ɐm　　　　　　　洽 ɐp

59　銜檻鑑 am　　　　　　　狎 ap

60　嚴儼釅 ǐɐm　　　　　　　業 ǐɐp

61　凡范梵 ǐwɐm　　　　　　乏 ǐwɐp

聲調及標誌（4 個）：平聲① 上聲② 去聲③ 入聲④

　　六、近代音系及擬音：《音表》以寧繼福先生的《中原音韻表稿》一書為據。

聲母表（21 個）

發音方法	塞　聲		鼻聲邊聲	塞擦聲		擦　聲	
	清音		濁音	清音		清音	濁音
發音部位	不送氣音	送氣音		不送氣音	送氣音		
雙脣音	幫 p	滂 ph	明 m				
脣齒音						非 f	微 v
舌尖中音	端 t	透 th	泥 n 來 l				
舌尖前音				精 ts	清 tsh	心 s	
舌尖後音				照 tʂ	穿 tʂh	審 ʂ	日 ʐ
舌根音	見 k	溪 kh	疑 ŋ			曉 h	
喉　音	影 ø						

韻部及韻母表（19 部，46 個韻母）

1 　東鍾 uŋ、iuŋ

2 　江陽 aŋ、iaŋ、uaŋ

3 　支思 ï

4 　齊微 ei、i、ui

5 　魚模 u、iu

6 　皆來 ai、iai、uai

7 　真文 ən、iən、uən、iuən

8 　寒山 an、ian、uan

9 　桓歡 uɔn

10　先天 iɛn、iuɛn

11　蕭豪 ɑu、au、iau

12　歌戈 ɔ、iɔ、uɔ

13　家麻 a、ia、ua

14　車遮 iɛ、iuɛ

15　庚青 əŋ、iəŋ、uəŋ、iuəŋ

16　尤侯 əu、iəu

17　侵尋 əm、iəm

18　監咸 am、iam

19　廉纖　iɛm

聲調及標誌（4個）：陰平①　陽平②　上聲③　去聲④

　　　七、現代音系以普通話的音系為代表，讀音以《現代漢語詞典》（中國社會科學院語言研究所詞典編輯室）為主要依據。聲母名稱能沿用中古音系的繼續沿用，便於比較，十三轍、十八韻也沿襲舊名。

聲母表（22個）

雙脣音	幫 p	滂 ph	明 m	
脣齒音	非 f			
舌尖中音	端 t	透 th	泥 n	來 l
舌尖前音	資 ts	雌 tsh	思 s	
舌尖後音	照 tʂ	穿 tʂh	審 ʂ	日 ʐ
舌面音	基 tɕ	欺 tɕh	希 ɕ	
舌根音	哥 k	科 kh	喝 h	
喉音	影 ø			

韻部及韻母表（十三轍或十八韻，39 個韻母）

十三轍(部)	十八韻	韻　母			
		開口呼	齊齒呼	合口呼	撮口呼
1 發花	1 麻	a	ia	uao	
2 梭坡	2 波	o		uo	
	3 歌	ɤ			
3 乜斜	4 皆	ɛ	iɛ		yɛ
4 姑蘇	10 模			u	
5 一七	5 支	ɿ、ʅ			
	6 兒	ɚ			
	7 齊		i		
	11 魚				ʮ
6 懷來	9 開	ai		uai	
7 灰堆	8 微	ei		uei	
8 遙條	13 豪	au	iau		
9 油求	12 侯	ou	iou		
10 言前	14 寒	an	ian	uan	yan
11 人辰	15 痕	ən	in	uən	yn
12 江陽	16 唐	aŋ	iaŋ	uaŋ	
13 中東	17 庚	əŋ	iŋ	uəŋ	
	18 東			uŋ	yŋ

聲調及標誌（4 個）陰平① 陽平② 上聲③ 去聲④

　　八、以下各方言的音系及讀音除閩南語以《普通話閩南方言詞典》（廈門大學漢語言文學研究室主編）為主要依據外，《音表》以《漢語方言概要》（第二版）和《漢語方音字匯》（第二版）（北京大學學中文系編）所列示的音系及讀音為基礎，並參考近年公開發表的方言資料。

吳語（蘇州話）音系

聲母表（28 個）

塞　音	p	ph	b	t	th	d	k	kh	g
塞擦音	ts	tsh	(dz)	tɕ	tɕh	dʑ			
擦　音	f	v	s	z	ɕ	h	ɦ	j	
鼻　音	m	n	ȵ	ŋ					
邊　音	l								
零聲母	ø								

韻母表（49 個）

開口 ɿ ʮ ɪ æ ɒ E ø O ɤ əu ən aŋ
　　 茲 朱 變 寶 敗 晏 安 啞 歐 烏 陳 杏
　　 ɒŋ oŋ ɪh ah ɒh ɤh oh
　　 剛 公 筆 拔 白 合 沃

齊齒 i (iɪ) iæ iɒ iø io iɤ in iaŋ iɒŋ ioŋ
　　 鄙（見）表 也 玄 靴 舊 命 兩 旺白 兄
　　 (iɪh) iah iɒh ioh
　　 （吸）甲 腳 欲

合口 u uɒ uE uø un uaŋ uɒŋ uah uɤh
　　 布 懷 為 歡 困 橫 光 滑 活

撮口 y　yn　yah yɤh

　　雨　允　日　越

邊韻 l

　　兒_文

鼻韻m̩　n̩　ŋ

　　嘸_白 你_白 五_白

聲調表（7 個）

①陰平44　②陽平24　③上聲52　④陰去412

　　詩書　　　時如　　　水暑　　　試恕

⑤陽去31　⑥陰入4　⑦陽入23

　　示樹　　　式識　　　食蝕

湘語（長沙話）音系

聲母表（20 個）

脣　音	p	ph	m	f	舌尖前音	ʦ	ʦh	s
	z							
舌面音	tɕ	tɕh	n̠	ɕ	舌尖音	t	th	n(l)
舌根音	k	kh	ŋ	x	零聲母	ø		

韻母表（38個）

開口 ɿ a o ɤ ai ei au əu õ an m̩ ən
　　子 爬 合 北 海 灰 炮 偷 半 旁 姆 奔
　　ɤ̃
　　扇

齊齒 i ia io ie iau iəu ĩẽ ian in
　　帝 家 腳 杰 標 久 片 江 冰

合口 u ua uɤ uai uei uan uən
　　補 瓜 國 外 貴 關 昆

撮口 y ya ye yai yei yẽ yan yn
　　朱 刷 掘 帥 追 捐 裝 君

聲調表（6個）

①陰平33②陽平13③上聲41④陰去55⑤陽去21⑥入聲24
　書　　殊　　許　　恕　　樹　　述

贛語（南昌話）

聲母表（19個）

脣　音　p　ph　m　f
舌尖音　t　th　(n)　l
　　　　ts　tsh　s

舌面音	tɕ	tɕh	ȵ	ɕ
牙喉音	k	kh	ŋ	h
零聲母	ø			

韻母表（65個）

開口 ɿ　a　o　ai　au　ɛu　əi　ɔu　an　on　ɐn
　　　子　巴　坐　來　刀　斗　培　手　班　漢　展

　　　ən　ɔŋ　aŋ　at　ot　ɛt　ət　ak　ɔk
　　　本　上　爭　塔　奪　哲　質　百　作

齊齒 i　ia　ie　ieu　iu　iɐn　in　iɔŋ　iaŋ　iuŋ　iɛt
　　　比　姐　去　勾　流　天　敏　搶　定　用　別

　　　it　iak　iɔk　iuk
　　　筆　錫　略　欲

合口 u　ua　uo　uai　ui　uan　uon　uɐn　un　uɔŋ
　　　布　瓜　果　拐　水　關　官　宏　魂　光

　　　uaŋ　uŋ　uat　uot　uɐt　ut　uək　uk
　　　橫　東　滑　活　國　骨　郭　獨

撮口 y　ye　yon　yn　yot　yt
　　　女　靴　宣　君　缺　律

鼻韻 m̩　n̩　ŋ̍

姆　你　五

聲調表（7 個）

①陰平 42②陽平 24③上聲 213④陰去 45(35)⑤陽去 21

　巴趴　　　爬霞　　　把怕　　　霸麻　　　夏罵

⑥陰入 5⑦陽入 21(2)

　八脫　　　合十

客家話（梅縣話）

聲母表（18 個）

唇　音　p　ph　m　f　v

舌尖音　t　th　n　l

　　　　ts　tsh　s

牙喉音　k　kh　ŋ　h

零聲母　ø

韻母表（78 個）

開口 ɿ　a　ɛ　ɔ　ai　au　eu　oi　am　an　aŋ

　　　子　巴　洗　婆　太　包　斗　代　南　班　彭

　　　em　əm　ɯn　me　ne　ŋɯ　ap　at　ak　ɛt　əp　te

　　　森　根　針　真　昌　答　達　伯　乞　冬　質

　　　ɔt　ɔk

割　剝

齊齒 i　ia　iɔ　iai　iau　iui　iu　iam　ian　iaŋ　iun
　　比　斜　茄　階　腰　銳　流　簽　電　病　君

　　iɛn　im　in　iɔn　iɔŋ　iap　iat　iak　iɛt　ip
　　邊　林　民　軟　光　夾　別　錫　節　立

　　iut　it　iɔk　iuk
　　曲　筆　藥　足

合口 u　ua　uɔ　uai　ui　uan　uaŋ　uɛn　uŋ　un
　　補　瓜　果　拐　追　關　礦　耿　冬　存

　　uɔn　uɔŋ　uat　uɛt　ut　uɔk　uk
　　官　光　括　國　卒　郭　木

鼻韻 m̩　唔　ŋ̍　五

聲調表（6個）

①陰平44②陽平11③上聲31④去聲52　⑤陰入1　⑥陽入5
　天　　田　　老　　共　　急　　食

粵語（廣州話）

聲母表（18個）

脣音　p　ph　m　f
舌尖音　t　th　n　l

舌葉音	tʃ	tʃh	ʃ	j
牙喉聲	k	kh	h	ŋ
零聲母	ø			

韻母表（68 個）

a	ɛ	œ	ɔ	ai	ɐi	ei	ɔi	au	ɐu	ou	øy
巴	蛇	靴	左	拜	米	皮	代	交	走	布	女

am	ap	ɛm	an	ɐn	øn	ɔn	aŋ	ɐŋ	ɛŋ	aŋ	œŋ
三	甲	心	山	新	春	安	棚	朋	鏡	兄	良

ɔŋ	uŋ	m̩	ŋ̍	ɐp	at	ɐt	øt	ɔt	ak	ik	œk	ɔk
江	中	唔	五	立	八	筆	出	割	百	力	啄	作

uk	i	iu	im	in	ip	it	u	ua	ɔu	uai	uɐi
木	字	表	閃	天	接	別	古	瓜	過	怪	貴

ui	uan	uɐn	un	uaŋ	uiŋ	uɔŋ	uat	uɐt	ut	uik
杯	關	羣	官	逛	炯	廣	刮	橘	活	隙

uɔk	y	yn	yt
國	朱	短	雪

聲調表（9 個）

①陰平 53(55) 梯　　②陽平 21 明　　③陰上 35 椅

④陽上 23 市　　⑤陰去 33 愛　　⑥陽去 22 住

⑦上陰入 5 竹　　⑧下陰入 33 百　　⑨陽入 22(2)白

閩東話（福州話）

聲母表（15 個）

唇　音	p	ph	m	
舌尖音	t	th	n	l
舌尖前音		ts	tsh	s
舌根音	k	kh	ŋ	h
零聲母	ø			

韻母表（48 個，不包括變韻）

開口 a　ɛ　œ　ɔ　ai　at　ɛu　aŋ　eiŋ(aiŋ)❶ ouŋ(auŋ)

　　　巴　西　梳　婆　敗　交　條　單　　朋　　　　倉

　　ah　ɔk　eih(aih) ouh(auh)

　　　甲　學　　十　　　薄

齊齒 i(ei)　ia　ie　ieu　iaŋ　iŋ(eiŋ)　ien　ih(eih)　iah

　　悲(寺) 車　師　秋　名　珍(敬)　戰　立(職)　額

　　ieh

　　別

---

❶ ( )中的韻母為變韻，出現在陰、陽去和陰入調裡。

合口 u(ou)　ua　　uɔ　　uai　　uei　　uan　　uɔŋ　uŋ(ouŋ)

　　盧（路）花　　布　　埋　　杯　　搬　　光　　春（動）

　　uh(ouh)　uah　uɔh

　　目（出）　末　　雪

撮口 y(øy)　　øy(œy)　　yɔŋ　øyŋ(œyŋ)　yŋ(øyŋ)　yh(øyh)

　　書（駐）堆（最）　　權　　冬（粽）　斤（用）　　俗

　　øyh(œyh)　yɔh

　　六（北）　劇

聲調表（7 個）

①陰平 44②陽平 52③上聲 31④陰去 213⑤陽去 242

　　機山　　文雄　　省彩　　記扇　　忌順

⑥陰入 23 ⑦陽入 4

　　急殺　　合物

閩南話（廈門話）

聲母表（14 個）

脣　音　p　　ph　b(m)❷

舌尖音　t　　th　　l(n)

---

❷　凡鼻化韻前的 b、l、g 變 m、n、ŋ。

舌尖前音		ts	tsh	s
舌根音	k	kh	g(ŋ)	h
零聲母	ø			

韻母表（79個）

		i 伊	ĩ 圓	u 有	ũ
a 阿	ã 餡	ia 耶	iã 營	ua 蛙	uã 安
ɔ 烏	ɔ̃ 惡				
o 蠔		io 腰			
e 鍋	ẽ 嬰			ue 話	
		iu 油	ĩũ 羊		ũĩ 梅
ai 哀	ãĩ 耐			uai 歪	ũãĩ 關
au 歐	ãũ 鬧	iau 妖			
am 庵					
m 姆	mh 默	im 音	ip 揖		
		in 因	it 乙	un 恩	ut 兀
an 安		ian 煙	iat 閱	uan 冤	uat 越
aŋ 江		iaŋ 漳			
ɔŋ 汪		iɔŋ 央	iɔk 約		
ŋ 黃		iŋ 英	ik 益		

ah 鴨　　　　iah 頁　　　　uh 托

　　ɔh 膜　　　　　　　　　　uah 活

oh 學　　　　ioh 藥

eh 呃　ēh 脈　ih 缺　îh 物　ueh 狹　ũēh 夾

　　　　　　　　　　　　　uih 劃

　　　　iauh 寂

聲調表（7 個）

①陰平 44　②陽平 24　③上聲 42　④陰去 21　⑤陽去 22

　詩歌　　　　平民　　　　永遠　　　　試種　　　　用戶

⑥陰入 2　⑦陽入 4

　德國　　　　獨立

　　九、《音表》正文後，有《漢語語音發展史說略》，同時附上幾位有代表性的音韻學家的上古聲紐韻部比較表，以利查檢和參考，全書之後附漢字部首筆劃索引。

　　十、《音表》符號說明：

。在漢字左上角，表示此字為《詩經》用字。

〃〃表示與上行內容相同。

音表中上古音、中古音、近代音中有的內容空缺，各方

言的內容空缺都用空白，無填寫出來。

w 在方言注音後，表示該音是文讀音（讀書音）。

b 在方言注音後，表示該音是白讀音（說話音）。

　　本書《漢字索引》先出部首目錄，部首先後按筆多寡排列。例如我們找「高」字的音讀，高在二畫亠部，亠下注 107，在索引 107 頁八畫有高字，下注 275，在《字表》275 頁，可看到高字，內容如下：

。高	漢　字	
效	攝	
開	開合	
1	等	中
平	聲	古
豪	韻	音
見	紐	
古勞	反切	
豪	詩韻	
kau①	擬音	
宵	韻	上
見	紐	古
平	聲	音
kau①	擬音	
蕭豪	韻	近
見	紐	代
陰平	聲	音
kɑu①	擬音	

遙條	韻	現代音
哥	紐	
陰平	聲	
kau①	擬音	
kæ①	吳語	漢語方言
kau①	湘語	
kau①	贛語	
kau①	客話	
kou①	粵語	
kɔ①	閩東話	
ko①w	閩南話	
kau①ʙ		

二、漢語方音字匯

《漢語方音字匯》包括十七個地點的 2700 餘字，用國際音標注音，這十七個地點是：北京、濟南、西安、太原、漢口、成都、揚州（以上為官話區），蘇州、溫州（吳方言區），長沙、雙峰（湘方言區），南昌（贛方言），梅縣（客家方言），廣州（粵方言），廈門、潮州（閩南方言區），福州（閩北方言）。此書字匯根據 1956-1958 年全國方言查的結果而編制的。

一、字音的排列先後大致是按著國語（普通話）的韻母

ia、ua、ɣ、o、uo、ie、ye、ɿ、ɿ、ɚ、i、u、y、
ai、uai、ei、ui(uei)、au、iau、ou、iu(iou)、an、
ian、uan、yan、ən、in、un(uən)、yn、aŋ、iaŋ、
uaŋ、əŋ、iŋ、uŋ、uəŋ、yŋ。

二、韻母相同，字音排列之先後，則以國語〈普通
話〉聲母之次序為先後，其聲母之次序如下：

p、p'、m、f；
t、t'、n、l；
ts、ts'、s；
tʂ、tʂ'、ʂ、ʃ；
k、k'、x；
tɕ、tɕ'、ɕ；
○。

三、聲調序為陰平、陽平、上聲、去聲。

四、《漢語方音字匯》所用的語音符號是國際音
標，聲調符號為簡便起見，采用音韻學上傳統採用的標
調法。即陰平作c□，陽平c□，陰ᶜ□，陽上ᶜ□，陰去
□ᶜ，陽去□ᶜ，陰入□ɔ，陽入□ɔ。

　　五、單字附注中古音。例如：巴，假開二、平麻
幫。就是說「巴」字屬假攝開口二等，平聲麻韻幫紐，
其他依此類推。

三、漢語方言詞彙

　　㈠本書所收詞條各按詞類排列，本書共分八大詞
類：一、名詞，二、動詞，三、形容詞，四、代詞，
五、量詞，六、副詞，七、介詞，八、連詞。每一詞類
再按詞義分類排列。

　　㈡在一個詞條中，以詞目為綱，下面排列十八個方
言點中與詞目相對應的詞語，這十八個方言點的順序
是：北京、濟南、瀋陽、西安、成都、昆明、合肥、揚
州、蘇州、溫州、長沙、南昌、梅縣、廣州、陽江、廈
門、潮州、福州。

　　㈢所記詞語，若無「本字」的借用方言同音字，在
字的右上角加星號（＊）表示；找不到適當同音字則代
以方框（□）。各方言中自造的方言字，不加任何符號。

　　㈣所記詞語，依據冬方言的語音系統，用國際音標
標音。

㈤采用五度制標調法，調值用數字標寫在音標的右上角。

㈥分類詞目如下：

　1.名詞

　⑴天象地理。⑵時間節令。⑶礦物及其他自然物。⑷動物。⑸植物。⑹飲食。⑺服飾。⑻房屋。⑼器具日常用具。⑽工具材料。⑾商業郵電交通。⑿文化娛樂。⒀人體。⒁人品。⒂親屬稱呼。⒃方位。⒄其他。

　2.動詞

　⑴自然變化。⑵五官動作。⑶肢體動作。⑷日常操作。⑸交際事務人事。⑹文化娛樂。⑺生理病理。⑻感受思維。⑼願望判斷。⑽其他。

　3.形容詞

　⑴形狀情況。⑵性質。⑶生理感覺。⑷形貌體態。⑸品性行為。⑹心理感受。

　4.代詞

　⑴人稱代詞。⑵物主代詞。⑶指示代詞。⑷疑問代詞。

　5.量詞

　⑴物量詞。⑵動量詞。

6.副詞

7.介詞

8.連詞

四、中國俗語大辭典

溫端政主編。本書共收錄詞俗語（包括諺語、歇後語、慣用語），共收一萬五千條，由上海辭書出版社於1989年出版。❸

五、中國隱語行話大辭典

本書分正編與續編兩部分：正編為《隱語行話大辭典》，選收唐宋迄今的社會諸行業群體流行的語詞形態，隱語行話約二萬餘條。續編的內容有：隱語行話研究事典。其他形態的隱語行話，中國隱語行話研究記事簡表，中國隱語行話簡明地圖說明與注釋等內容。

---

❸ 以上三、四兩類，取材自于翠玲著《工具書應用通則》95-97頁。

參考書目

丁　度　集韻（附方成珪集韻考正）共十五冊　臺灣商務印書館印
　　行　民國五十四（1965）年十一月臺一版　臺北市

丁福保　全漢三國晉南北朝詩（全六冊）　藝文印書館印行　民國
　　五十六（1967）年四月購藏　臺北市

丁福保　說文解字詁林正編（全六十五冊）通檢一冊·說文解字補
　　遺（十五冊）通檢一冊　國民出版社印行　民國四十八
　　（1959）年初版　臺北市

三民書局大辭典編纂委員會　大辭典上中下三冊　三民書局股份有
　　限公司出版　民國七十四（1985）年八月初版　臺北市

于翠玲　工具書應用通則　春風文藝出版社出版　1999 年 3 月 1 版
　　瀋陽市

中國訓詁學會　訓詁論叢第二冊　文史哲出社發行　民國八十六
　　（1997）年四月　臺北市

中國訓詁學會·輔仁大學中文系所主編　訓詁論叢第一輯　文史哲
　　出版社　民國八十三年元月初版　臺北市

中國語文學社　中國語言學史話　1969 年 9 月　中國語文雜誌社發
　　行　北京市

孔仲溫　玉篇俗字研究　臺灣學生書局印行　民國八十九（2000）

　　　　年七月初版　臺北市

文史哲出版社編輯部　中國美術家人名辭典　文史哲出版社出版
　　　民國七十一（1982）年七月初版　臺北市

王　筠　說文解字句讀（全八冊）　在高明主編《說文叢刊》內
　　　廣文書局印行民國六十一（1972）年十一月初版　臺北市

王　筠　說文解字義證（全十五冊）　在高明主編《說文叢刊》內
　　　廣文書局印行　民國六十一（1972）年十一月初版　臺北市

王　力　中國語言學史　採自《中國語文》雙月刊　1967 年 5 月下
　　　版　北京市

王　力　同源字典　文史哲出版社　民國七十二（1983）年七月初
　　　版　臺北市

王引之　經傳釋詞　世界書局印行　民國四十五（1956）年五月初
　　　版　臺北市

王先謙　釋名疏證補　鼎文書局影印本　民國六十一（1972）年九
　　　月初版　臺北市

王有三　清代文集篇目分類索引　國風出版社發行　民國五十四
　　　（1965）年六月初版　臺北市

王　協（王力）　古漢語通論　泰順書局　臺北市

王念孫　廣雅疏證　臺灣商務印書館　民國五十七（1968）年六月
　　　臺一版　臺北市

王念孫　讀書雜志上下　樂天出版社印行　民國六十三（1974）年
　　　二月再版　臺北市

王重民　國學論文索引（初編、續編合訂本、三編、四編）三冊
　　　鐘鼎文化出版公司　民國五十六（1967）年五月出版　臺北

市

王問漁　訓詁學的研究與效用　內蒙古人民出版社　1986 年 4 月第
　　1 版　呼和浩特市

王　弼等　十三經注疏（全十四冊）　藝文印書館發行　民國四十
　　九（1960）年一月再版　臺北市

王欽若・楊億等　冊府元龜一千卷（十二冊）　香港中華書局印行
　　民國四十九年（1960）年六月初版　香港

王欽若・楊億等　冊府元龜一千卷（四冊）　大化書局印行　民國
　　七十三（1984）十月初版　臺北市

王　筠　說文釋例　世界書局印行　民國五十（1961）年十二月初
　　版　臺北市

王應麟　玉海二百卷（八冊）　大化書局印行　民國六十六
　　（1977）年十二月景印初版　臺北市

世界書局編印所編　分類辭源上中下三冊　天津市古籍書店影印
　　1990 年 12 月第一版　天津市

北京大學中國語言文學系語言學教研室編　漢語方言詞匯　文字改
　　革出版社出版　1964 年 5 月 1 版　北京市

北京大學中國語言文學系語言學教研室編　漢語方音字匯　文字改
　　革出版社出版　1962 年 9 月 1 版　北京市

永瑢等奉敕撰　歷代職官表二十冊　臺灣商務印書館印行　民國五
　　十五（1966）年三月臺一版　臺北市

白兆麟　簡明訓詁學　浙江教育出版社　1984 年 10 月第一版　杭
　　州市

伍　杰　中國辭書辭典　河北人民出版社　1989 年 10 月第 1 次印

刷　石家莊市

向　熹　《詩經》古今音手冊　南開大學出版社出版 1988 年 2 月
　　第 1 版　天津市

曲彥斌主編　中國隱語行話大辭典　遼寧教育出版社出版　1995 年
　　1 版　瀋陽市

朱駿聲　說文通訓定聲　世界書局印行　民國四十五（1956）年五
　　月　臺北市

余　照輯．詩韻集成　臺灣學海出版社印行　民國八十二（1993）
　　年十月再版　臺北市

吳則虞　中國工具書使用法　上海古籍出版社出版　1988 年 3 月第
　　1 版　上海市

吳淑等撰　增補大字事類統編全五冊　佩文書社印行　民國四十九
　　（1960）年六月出版　臺北市

吳榮光　歷代名人年譜（全五冊）　臺灣商務印書館印行　民國四
　　十五（1956）年四月臺初版　臺北市

李　昉等　太平御覽一千卷（七冊）　臺灣商務印書館印行　民國
　　二十四（1935）年十二月初版　上海市　又民國五十六
　　（1967）年十一月臺一版一刷　民國八十一（1992）年一月
　　臺一版六刷　臺北市　又新興書局印行　民國四十八
　　（1959）年一月初版　臺北市　又平平出版社印行　民國六
　　十四（1975）年六月初版　臺南市

李　昉等撰　太平廣記五百卷（全五冊）　平平出版社印行　民國
　　六十三（1974）年元月初版　臺南市

李珍華・周長楫　漢字古今音表（修訂本）　中華書局出版　1999
　　年 1 月第 1 版　北京市

李添富主編　陳彭年等原著　新校宋本廣韻　洪葉文化事業有限公司印行　民國九十（2001）年 9 月初版　臺北市

李新魁·麥　耘　韻學古籍述要　陝西人民出版社出版　1993 年 2 月第 1 版　西安市

沈粹芬等　清文匯全三冊（上中下）　北京出版社出版　1996 年 3 月第 1 版

阮　元　經籍籑詁　世界書局印行　民國四十五（1956）年五月初版　臺北市

周祖謨　周祖謨語文論集　河北教育出版社　1989 年 1 月第 1 版　石家莊市

宛志文　漢語大字典（袖珍本）　湖北人民出版社·四川辭書出版社　1999 年 9 月 1 版　武漢市

俞　樾　群經平議上下　河洛圖書出版社出版民國六十四（1975）五月景印初版　臺北市

南京大學圖書館中文系歷史系編寫小組　文史哲工具書簡介　天津人民出版社 1980 年 9 月第一版　天津市

姜亮夫　歷代名人年里碑傳總表　臺灣商務印書館發行　民國五十四（1965）年四月臺一版　臺北市

紀昀撰·黃本驥重編　歷代職官表　樂天出版社出版　民國六十一（1972）年初版　臺北市

唐圭璋編　全宋詞（全五冊）　明倫出版社印行　民國六十二（1973）年十月初版

夏劍欽·夏炳臣　通假字小字典　湖南人民出版社　1986 年 11 月第 1 版　長沙市

徐世昌輯　清詩匯全三冊（上中下）　北京出版社出版　1996 年 3 月第 1 版　北京市

徐芳敏　閩南方言本字與相關問題探索　大安出版社　2003 年二月第一版　臺北市

徐復主編　廣雅詁林江蘇古籍出版社出版　1992 年 7 月 1 版　南京市

桂　馥　說文解字義證（全十五冊）在高明主編《說文叢刊》內廣文書局印行　民國六十一（1972）年十一月初版　臺北市

高步瀛　唐宋詩舉要　學海出版社印行　民國七十二（1983）年九月初版　臺北市

高承撰·李果訂　事物紀原　臺灣商務印書館印行　民國六十（1971）年四月臺一版　臺北市

國民出版社　兩千年中西曆對照表　國民出版社印行　民國四十七（1958）年十一月　臺北市

國立中央圖書館　中國近二十年文史哲論文分類索引　正中書局印行　民國五十九（1970）年十一月臺初版　臺北市

張玉書等奉康熙敕令撰　佩文淵府七冊　臺灣商務印書館股份有限公司印行　民國六十三（1974）年十二月臺六版　臺北市

張廷玉等　駢字類編　北京市中國書店出版　1984 年 3 月 1 版　北京市

張　相　詩詞曲語辭典　藝文印書館　民國四十六年（1957）六月初版　臺北市

張　斌·許威漢　中國古代語學資料匯纂　福建人民出版出版　1993 年 12 月第 1 版　福州市

張錦郎　中文參考用書指引　文史哲出版社印行　民國六十八
　　（1979）年四月初版　臺北市

梁啟雄　二十四史傳目引得　開明書局印行　民國二十五（1936）
　　年　上海市

梁啟雄　廿四史傳目引得　臺灣中華書局印行　民國五十八
　　（1969）年九月臺二版　臺北市

清聖祖敕撰　淵鑑類函三十冊　新興書局發行　民國四十九
　　（1960）年九月初版　臺北市

清聖祖敕撰　駢字類編十二冊索引一冊　北京中國書店出版　1984
　　年 3 月第一版　北京市

清聖祖敕編　全唐詩（全十二冊）　明倫出版社印行　民國六十
　　（1971）年五月初版　臺北市

郭錫良　漢字古音手冊　北京大學出版社出版　1986 年 11 月第 1
　　版　北京市

陳乃乾　別署居處名通檢　世界書局印行　民國五十七（1968）年
　　十一月再版　臺北市

陳乃乾　別號索引　開明書局印行　民國二十五（1936）年初版
　　上海市

陳乃乾　室名索引　開明書局印行　民國二十二（1933）年初版
　　上海市

陳宏天・呂　嵐　詩經索引　書目文獻出版社出版　1984 年 3 月第
　　1 版　北京市

陳昌儀　贛方言概要　江西教育出版社　1991 年 9 月第 1 版　南昌
　　市

陳彭年　宋本廣韻　藝文印書館　民國五十九（1970）年九月三版
　　　臺北市

陳新雄　如何利用工具書（一）　民國六十（1971）年十一月七日
　　　出版《創新》週刊第 30 期　5-6 頁華岡中國文化學院　臺北
　　　市

陳新雄　如何利用工具書（七）　民國六十一（1972）年一月二十
　　　三日出版《創新》週刊第 41 期　7-8 頁　華岡中國文化學院
　　　臺北市

陳新雄　如何利用工具書（九）　民國六十二（1973）年一月八日
　　　出版《創新》週刊第 72 期　9-12 頁　華岡中國文化學院
　　　臺北市

陳新雄　如何利用工具書（二）　民國六十（1971）年十一月二十
　　　一日出版《創新》週刊第 32 期　7-8 頁　華岡中國文化學院
　　　臺北市

陳新雄　如何利用工具書（二）　學粹第十六卷第三期　1-17 頁
　　　民國六十三（1974）年九月一日出版　臺北市

陳新雄　如何利用工具書（八下）　民國六十一（1972）年三月十
　　　九日出版《創新》週刊第 46 期　7-8 頁　華岡中國文化學院
　　　臺北市

陳新雄　如何利用工具書（八上）　民國六十一（1972）年三月十
　　　二日出版《創新》週刊第 45 期　5-6 頁　華岡中國文化學院
　　　臺北市

陳新雄　如何利用工具書（十）　民國六十二（1973）年一月二十
　　　二日《創新》週刊第 74 期　10-13 頁　華岡中國文化學院
　　　臺北市

陳新雄　如何利用工具書（三）　民國六十（1971）年十一月二十八日出版《創新》週刊第 33 期　7-8 頁　華岡中國文化學院臺北市

陳新雄　如何利用工具書（五）　民國六十（1971）年十二月二十六日出版《創新》週刊第 37 期　5-6 頁　華岡中國文化學院臺北市

陳新雄　如何利用工具書（六）　民國六十一（1972）年一月九日出版《創新》週刊第 39 期　3-4 頁　華岡中國文化學院　臺北市

陳新雄　如何利用工具書（四）　民國六十（1971）年十二月十二日出版《創新》週刊第 35 期　5-6 頁　華岡中國文化學院臺北市

陳新雄　如何利用工具書　學粹第十六卷第二期　9-13 頁　民國六十三（1974）年六月一日出版　臺北市

陳夢雷撰・蔣廷錫重編校　古今圖書集成一萬卷（一百零一冊）臺北文星書店印行　民國五十三（1964）年　又鼎文書局印行　民國六十五（1976）年二月初版　臺北市

陳夢雷撰・蔣廷錫重編校　古今圖書集成一萬卷（七十九冊）　鼎文書局印行　民國六十六年（1977）四月初版　臺北市

陳德芸　古今人物別名索引　臺灣藝文印書館　民國五十四（1965）年月初版　臺北縣板橋鎮

陳璧如・張陳卿・李維墀　文學論文索引　臺灣學生書局出版　民國五十九（1970）年三月初版　臺北市

陳璧如・張陳卿・李維墀　文學論文索引　臺灣學生書局印行　民國五十九（1970）年三月初版　臺北市

陸爾奎・臧勵龢等編　中國人名大辭典　商務印書館出版　民國十
　　（1921）年六月初版　上海市　臺灣商務印書館　民國四十
　　七（1958）年二月臺一版　臺北市

陸澹安　小詞語彙釋　中華書局　1964 年第 1 版　臺灣中華書局
　　民國六十三（1974）年五月臺三版　臺北市

章　羣　民國學術論文索引　中華文化出版業委員會出版　民國四
　　十三（1954）年八月初版　臺北市

開明書局編纂執行委員會　二十五史人名索引　臺灣開明書局重印
　　民國五十（1961）年二月　臺北市

黃本驥　歷代職官表　漢聲出版社發行　民國 62（1973）年 3 月臺
　　一版　臺北市

楊家駱　四庫大辭典　中國學典館復館籌備處印行　民國五十六
　　（1967）年四月再版　臺北市

楊家駱　叢書大辭典　中國學典館復館籌備處印行　民國五十六
　　（1967）年六月再版　臺北市

楊家駱主編　別署居處名通檢　世界書局印行　民國五十七
　　（1968）年十一月　臺北市

楊　達（楊樹達）　古書句讀釋例　臺灣商務印書館印行　人人文
　　庫六二八　民國五十七年（1968）四月臺一版　臺北市

溫端政主編　中國俗語大辭典　上海辭書出版社出版　1989 年 1 版
　　上海市

董　誥・戴衢亨・曹振鏞等奉敕撰　欽定全唐文（精裝二十冊）
　　大通書局書局印行　民國六十八（1979）年七月四版　臺北
　　市

虞世南撰・清孔廣陶校注　北堂書鈔一百六十卷　文海出版社出版
　　民國五十一（1962）年十一月初版　臺北市

臧勵龢　中國古今地名大辭典　上海商務印書館　民國二十
　　（1931）年五月初版上海市　臺灣商務印書館　民國四十九
　　（1960）年六月臺初版　臺北市

臺灣開明書局　十三經索引　臺灣開明書局印行　民國四十四
　　（1955）年六月臺一版　民國五十（1961）年九月臺二版
　　臺北市

裴學海著　古書虛字集釋　廣文書局印行　民國五十一（1962）年
　　五月出版　臺北市

齊召南撰　歷代帝王年表　世界書局印行　民國四十九（1960）四
　　月二版　臺北市

齊沖天　聲韻語源字典　重慶出版社發行　1997年3月1版　重慶
　　市

劉志成　中國文字學書目考錄　巴蜀書社發行　1997年8月1版
　　成都市

劉修業　文學論文索引續編　臺灣學生書局印行　民國五十九
　　（1970）年三月初版　臺北市

歐陽詢等　藝文類聚一百卷（五冊）　文光出版社出版　民國六十
　　三（1974）年八月初版　臺北市　又新興書局印行　民國五
　　十八（1969）年十一月初版　臺北市

鄧嗣禹　中國類書目錄初稿　古亭書屋出版　民國五十九（1970）
　　年十一月初版　日本京都市

燕京大學引得編纂處　四庫全書總目及未收書目引得　成文出版社
　　有限公司　民國五十五（1966）年臺一版　臺北市

燕京大學引得編纂處　藝文志二十種綜合引得　成文出版社有限公
　　司　民國五十五（1966）年臺一版　臺北市

錢曾怡·劉聿鑫　中國語言學要籍解題　齊魯書社出版　1991 年
　　11 月 1 版　濟南市

駢宇騫·王鐵柱主編　語言文字詞典　學苑出版社發行　1999 年 2
　　月 1 版　北京市

應裕康·謝雲飛編著中文工具書指引　蘭臺書局有限公司出版民國
　　六十四（1975）年十二月一日初版　臺北市

謝光輝　漢語字源字典（圖解本）　北京大學出版社　2000 年 8 月
　　第 1 版　北京市

魏秀梅編　清季職官表　中央研究院近代史研究所出版　民國六十
　　六（1977）年初版　臺北市

嚴可均　全上古三代秦漢三國六朝文（全四冊）　中文出版社
　　1972 年 7 月初版　日本京都市

顧祖禹　讀史方輿紀要（全五冊）　新興書局印行　民國六十一
　　（1972）年六月初版　臺北市

內容簡介

　　古人自幼讀書，類能背誦，以腹為笥，盤胸萬卷，遠非今人所及；今人讀書，文史之外，英數理化，咸欲兼顧，自不能如古人之淵博。是以籀讀古書，遇有困難，惟有借助於工具書矣。或查考字義，或尋求辭藻，或名掌故，或索經典，人名地名，生卒年月，事物起源，書籍內容等，在在均須借助於工具書以解決問題與困難。本書之作，厥為解決此一問題，以提供讀者查索之助。此書不但可供研究中文者之使用，其他歷史、地理、政治、教育乃至醫學、命理各科，皆有裨益。民國四十四年秋，本書作者於臺灣師範大學國文系就讀，許詩英（世瑛）先生教授讀書指導，即選授工具書之用法，雖所授無多，已為開啓研究之途徑，今作者此書，乃就許教授所授者，大為增補擴充，釐訂工具書為十六類：計有：一、檢查字義之工具書。二、檢查文章辭藻之工具書。三、檢查事物掌故之工具書。四、檢查十三經經文書名之工具書。五、檢查古今人名之工具書。六、檢查古今地名之工具書。七、檢查歷代名人生卒年月之工具書。八、檢查人物是否正史有傳之工具書。九、檢查年月日之工書。十、檢查事物起源之工具書。十一、檢查書籍內容之工具書。十二、檢查學術論文之工具書。十三、檢查篇章之工具書。十四、檢查政典之工具書。十五、檢查官制之工具書。十六、檢查方言詞匯語音與行業語之工具書。以上十六類工具書，雖未敢謂已盡善盡美，但言工具書之著作，其詳備者當以此書為最，故本局特為社會大眾告也。

國家圖書館出版品預行編目資料

工具書之用法

陳新雄著. – 初版. – 臺北市：臺灣學生，
2005[民 94]
面；公分

ISBN 957-15-1276-1(平裝)

1. 參考書
2. 參考書使用法

019.7   94020165

工 具 書 之 用 法 (全一冊)

著　作　者：陳　　　新　　　雄
出　版　者：臺 灣 學 生 書 局 有 限 公 司
發　行　人：盧　　　保　　　宏
發　行　所：臺 灣 學 生 書 局 有 限 公 司
　　　　　　臺 北 市 和 平 東 路 一 段 一 九 八 號
　　　　　　郵 政 劃 撥 帳 號 : 0 0 0 2 4 6 6 8
　　　　　　電　話 : (0 2) 2 3 6 3 4 1 5 6
　　　　　　傳　眞 : (0 2) 2 3 6 3 6 3 3 4
　　　　　　E-mail : student.book@msa.hinet.net
　　　　　　http : //www.studentbooks.com.tw

本書局登
記證字號　：行政院新聞局局版北市業字第玖捌壹號

印　刷　所：長 欣 彩 色 印 刷 公 司
　　　　　　中 和 市 永 和 路 三 六 三 巷 四 二 號
　　　　　　電　話 : (0 2) 2 2 2 6 8 8 5 3

定價：平裝新臺幣二五〇元

西 元 二 〇 〇 五 年 十 一 月 初 版

臺灣學生書局 出版

文獻學研究叢刊